LARO

conjugación
verbal de la lengua española

LAROUSSE

conjugación
verbal de la lengua española

LAROUSSE

ES UNA OBRA

LAROUSSE

© 2003, Spes Editorial, S.L.

SPES EDITORIAL, S.L.
Aribau, 197-199 - 08021 Barcelona
Tel.: 93 241 35 05   Fax: 93 241 35 07
editorial@larousse.es / www.larousse.es

ISBN 84-8016-385-2
Depósito legal: B. 20.331-2003
Impresión: A & M Gràfic, S.L.
Impreso en España - Printed in Spain

ÍNDICE

PRÓLOGO

Este módulo de conjugación va dirigido a los estudiantes de español y todos aquellos que utilizan la lengua escrita como herramienta de trabajo y desean mejorar el uso y la comprensión formales de los paradigmas de la conjugación verbal. Nuestro objetivo ha sido proporcionar al hablante y al estudiante de español un instrumento eficaz y de fácil manejo para el dominio de la conjugación. Esta finalidad práctica nos ha llevado a dividir la obra en dos partes: una colección de 99 modelos verbales, en primer lugar, y una lista ordenada alfabéticamente de 10 000 infinitivos, a continuación.

Todas las variaciones ortográficas, los cambios de acento, las modificaciones en la raíz verbal o en las desinencias están recogidas en los modelos de la primera parte, entre los que se incluyen los verbos regulares y los irregulares. Los verbos regulares, mucho más numerosos, se agrupan en tres modelos distintos conocidos con los nombres de 1ª, 2ª y 3ª conjugaciones, cuyos infinitivos acaban en -ar, -er, -ir, respectivamente y que corresponde a los modelos primero, segundo y tercero de nuestro manual. En cuanto a los verbos irregulares los hemos agrupado en dos grandes clases: verbos con anomalías ortográficas o prosódicas y verbos propiamente irregulares.

En los verbos con anomalías ortográficas o prosódicas —del modelo 4 al 23— se recogen cambios en la posición del acento y cambios de letras impuestos por la ortografía, que se refieren a sonidos con varias representaciones gráficas, como el caso del sonido *k* que se puede representar por *k*, *c* o *qu*. Los modelos 24 y 25 corresponden a los verbos defectivos, verbos cuya anomalía consiste en la supresión de algunas formas de flexión.

En los restantes modelos —del 26 al 99— están representados los paradigmas de los verbos propiamente irregulares. Dentro de estos hay algunos que siguen cierta sistematicidad en sus irregularidades y otros que presentan irregularidades asistemáticas o especiales. Los regulares sistemáticos pueden serlo por cambio, adición o supresión de sonidos —cuando escribimos, letras—; por ejemplo, el verbo pedir, que cambia la vocal e de la raíz en i en algunos tiempos del indicativo y del subjuntivo o el verbo carecer, que cambia la consonante final de la raíz c en zc. Los regulares asistemáticos incluyen los verbos con perfectos fuertes (indefinido, imperfecto de subjuntivo y futuro de subjuntivo) de verbos como andar, querer o venir; los verbos con participio irregular, como freír, imprimir, etc., y los verbos con varias raíces en su conjugación, como los verbos ser e ir. Es necesario tener en cuenta que la conjugación de algunos verbos presenta simultáneamente varios tipos de irregularidades.

La segunda parte de este módulo se compone de una extensa lista de infinitivos. Cada uno de estos infinitivos tiene asociada una remisión numérica a los modelos de la primera parte, lo cual permite conocer la flexión completa de cualquier verbo contenido en esta lista. Por ejemplo, el verbo animar, cuya remisión 1 envía al modelo de este número, cantar, se conjuga aplicando las desinencias de este modelo a la raíz anim- y así obtenemos anim-o, anim-as, anim-a, etc. Aplicado adecuadamente, este sencillo mecanismo nos permitirá conjugar todos los verbos reseñados en esta segunda parte.

Para mayor brevedad y claridad en su presentación, hemos adoptado las siguientes convenciones: *a*) De cada paradigma, sólo se indican los tiempos simples, dejando a la competencia del consultante la formación de los tiempos compuestos a partir del verbo *haber* —modelo 97— y del participio del verbo que se quiere conjugar. *b)* Con el fin de saber si estamos ante una forma regular o irregular, todas las afectadas por cualquier tipo de irregularidad, prosódica, ortográfica, en la desinencia o en la raíz, se han señalado con letra cursiva. *c)* Cuando dos verbos homónimos siguen distintos modelos de conjugación hemos incluido una acotación entre corchetes acerca de su significado o de su procedencia con el fin de orientar correctamente la consulta: por ejemplo, el verbo asolar [de *a + sol*], que se conjuga según el modelo 1 y asolar [de *suelo*], que se conjuga según el modelo 36.

Esperamos que el manual que el lector tiene en sus manos cumpla con la finalidad práctica anunciada y sirva tanto a los estudiantes como al público general para poder expresarse con mayor propiedad.

CONJUGACIÓN PASIVA

INDICATIVO

PRESENTE			PRETÉRITO PERFECTO		
soy	amado		he	sido	amado
eres	amado		has	sido	amado
es	amado		ha	sido	amado
somos	amados		hemos	sido	amados
sois	amados		habéis	sido	amados
son	amados		han	sido	amados

IMPERFECTO			PRETÉRITO PLUSCUAMPERFECTO		
era	amado		había	sido	amado
eras	amado		habías	sido	amado
era	amado		había	sido	amado
éramos	amados		habíamos	sido	amados
erais	amados		habíais	sido	amados
eran	amados		habían	sido	amados

INDEFINIDO			PRETÉRITO ANTERIOR		
fui	amado		hube	sido	amado
fuiste	amado		hubiste	sido	amado
fue	amado		hubo	sido	amado
fuimos	amados		hubimos	sido	amados
fuisteis	amados		hubisteis	sido	amados
fueron	amados		hubieron	sido	amados

FUTURO			FUTURO PERFECTO		
seré	amado		habré	sido	amado
serás	amado		habrás	sido	amado
será	amado		habrá	sido	amado
seremos	amados		habremos	sido	amados
seréis	amados		habréis	sido	amados
serán	amados		habrán	sido	amados

CONDICIONAL			CONDICIONAL PERFECTO		
sería	amado		habría	sido	amado
serías	amado		habrías	sido	amado
sería	amado		habría	sido	amado
seríamos	amados		habríamos	sido	amados
seríais	amados		habríais	sido	amados
serían	amados		habrían	sido	amados

CONJUGACIÓN PASIVA

SUBJUNTIVO

PRESENTE

sea	amado
seas	amado
sea	amado
seamos	amados
seáis	amados
sean	amados

PRETÉRITO PERFECTO

haya	sido	amado
hayas	sido	amado
haya	sido	amado
hayamos	sido	amados
hayáis	sido	amados
hayan	sido	amados

IMPERFECTO

fuera o fuese	amado
fueras o fueses	amado
fuera o fuese	amado
fuéramos o fuésemos	amados
fuerais o fueseis	amados
fueran o fuesen	amados

PRETÉRITO PLUSCUAMPERFECTO

hubiera o hubiese	sido	amado
hubieras o hubieses	sido	amado
hubiera o hubiese	sido	amado
hubiéramos o hubiésemos	sido	amados
hubierais o hubieseis	sido	amados
hubieran o hubiesen	sido	amados

FUTURO

fuere	amado
fueres	amado
fuere	amado
fuéremos	amados
fuereis	amados
fueren	amados

FUTURO PERFECTO

hubiere	sido	amado
hubieres	sido	amado
hubiere	sido	amado
hubiéremos	sido	amados
hubiereis	sido	amados
hubieren	sido	amados

IMPERATIVO

sé	tú	amado
sea	él	amado
seamos	nosotros	amados
sed	vosotros	amados
sean	ellos	amados

FORMAS NO PERSONALES

INFINITIVO	ser	amado
GERUNDIO	siendo	amado
PARTICIPIO	sido	amado

INFINITIVO COMPUESTO	haber	sido	amado
GERUNDIO COMPUESTO	habiendo	sido	amado

CONJUGACIÓN PRONOMINAL

INDICATIVO

PRESENTE		PRETÉRITO PERFECTO		
me	lavo	me	he	lavado
te	lavas	te	has	lavado
se	lava	se	ha	lavado
nos	lavamos	nos	hemos	lavado
os	laváis	os	habéis	lavado
se	lavan	se	han	lavado

IMPERFECTO		PRETÉRITO PLUSCUAMPERFECTO		
me	lavaba	me	había	lavado
te	lavabas	te	habías	lavado
se	lavaba	se	había	lavado
nos	lavábamos	nos	habíamos	lavado
os	lavabais	os	habíais	lavado
se	lavaban	se	habían	lavado

INDEFINIDO		PRETÉRITO ANTERIOR		
me	lavé	me	hube	lavado
te	lavaste	te	hubiste	lavado
se	lavó	se	hubo	lavado
nos	lavamos	nos	hubimos	lavado
os	lavasteis	os	hubisteis	lavado
se	lavaron	se	hubieron	lavado

FUTURO		FUTURO PERFECTO		
me	lavaré	me	habré	lavado
te	lavarás	te	habrás	lavado
se	lavará	se	habrá	lavado
nos	lavaremos	nos	habremos	lavado
os	lavaréis	os	habréis	lavado
se	lavarán	se	habrán	lavado

CONDICIONAL		CONDICIONAL PERFECTO		
me	lavaría	me	habría	lavado
te	lavarías	te	habrías	lavado
se	lavaría	se	habría	lavado
nos	lavaríamos	nos	habríamos	lavado
os	lavaríais	os	habríais	lavado
se	lavarían	se	habrían	lavado

CONJUGACIÓN PRONOMINAL

SUBJUNTIVO

PRESENTE

me	lave
te	laves
se	lave
nos	lavemos
os	lavéis
se	laven

PRETÉRITO PERFECTO

me	haya	lavado
te	hayas	lavado
se	haya	lavado
nos	hayamos	lavado
os	hayáis	lavado
se	hayan	lavado

IMPERFECTO

me	lavara o lavase
te	lavaras o lavases
se	lavara o lavase
nos	laváramos o lavásemos
os	lavarais o lavaseis
se	lavaran o lavasen

PRETÉRITO PLUSCUAMPERFECTO

me	hubiera o hubiese	lavado
te	hubieras o hubieses	lavado
se	hubiera o hubiese	lavado
nos	hubiéramos o hubiésemos	lavado
os	hubierais o hubieseis	lavado
se	hubieran o hubiesen	lavado

FUTURO

me	lavare
te	lavares
se	lavare
nos	laváremos
os	lavareis
se	lavaren

PRETÉRITO ANTERIOR

me	hubiere	lavado
te	hubieres	lavado
se	hubiere	lavado
nos	hubiéremos	lavado
os	hubiereis	lavado
se	hubieren	lavado

IMPERATIVO

lávate	tú
lávese	él
lavémonos	nosotros
lavaos	vosotros
lávense	ellos

FORMAS NO PERSONALES

INFINITIVO lavarse   **INFINITIVO COMPUESTO** haberse lavado

GERUNDIO lavándose   **GERUNDIO COMPUESTO** habiéndose lavado

PARTICIPIO *(no existe)*

1 CANTAR

INDICATIVO

PRESENTE
canto
cantas
canta
cantamos
cantáis
cantan

IMPERFECTO
cantaba
cantabas
cantaba
cantábamos
cantabais
cantaban

INDEFINIDO
canté
cantaste
cantó
cantamos
cantasteis
cantaron

FUTURO
cantaré
cantarás
cantará
cantaremos
cantaréis
cantarán

CONDICIONAL
cantaría
cantarías
cantaría
cantaríamos
cantaríais
cantarían

SUBJUNTIVO

PRESENTE
cante
cantes
cante
cantemos
cantéis
canten

IMPERFECTO
cantara o cantase
cantaras o cantases
cantara o cantase
cantáramos o cantásemos
cantarais o cantaseis
cantaran o cantasen

FUTURO
cantare
cantares
cantare
cantáremos
cantareis
cantaren

IMPERATIVO

canta
cante
cantemos
cantad
canten

FORMAS NO PERSONALES

INFINITIVO   cantar

GERUNDIO   cantando

PARTICIPIO   cantado

INDICATIVO

PRESENTE
temo
temes
teme
tememos
teméis
temen

IMPERFECTO
temía
temías
temía
temíamos
temíais
temían

INDEFINIDO
temí
temiste
temió
temimos
temisteis
temieron

FUTURO
temeré
temerás
temerá
temeremos
temeréis
temerán

CONDICIONAL
temería
temerías
temería
temeríamos
temeríais
temerían

SUBJUNTIVO

PRESENTE
tema
temas
tema
temamos
temáis
teman

IMPERFECTO
temiera o temiese
temieras o temieses
temiera o temiese
temiéramos o temiésemos
temierais o temieseis
temieran o temiesen

FUTURO
temiere
temieres
temiere
temiéremos
temiereis
temieren

IMPERATIVO

teme
tema
temamos
temed
teman

FORMAS NO PERSONALES

INFINITIVO   temer

GERUNDIO   temiendo

PARTICIPIO   temido

3 PARTIR

INDICATIVO

PRESENTE
parto
partes
parte
partimos
partís
parten

IMPERFECTO
partía
partías
partía
partíamos
partíais
partían

INDEFINIDO
partí
partiste
partió
partimos
partisteis
partieron

FUTURO
partiré
partirás
partirá
partiremos
partiréis
partirán

CONDICIONAL
partiría
partirías
partiría
partiríamos
partiríais
partirían

SUBJUNTIVO

PRESENTE
parta
partas
parta
partamos
partáis
partan

IMPERFECTO
partiera o partiese
partieras o partieses
partiera o partiese
partiéramos o partiésemos
partierais o partieseis
partieran o partiesen

FUTURO
partiere
partieres
partiere
partiéremos
partiereis
partieren

IMPERATIVO

parte
parta
partamos
partid
partan

FORMAS NO PERSONALES

INFINITIVO   partir

GERUNDIO   partiendo

PARTICIPIO   partido

INDICATIVO

PRESENTE
saco
sacas
saca
sacamos
sacáis
sacan

IMPERFECTO
sacaba
sacabas
sacaba
sacábamos
sacabais
sacaban

INDEFINIDO
saqué
sacaste
sacó
sacamos
sacasteis
sacaron

FUTURO
sacaré
sacarás
sacará
sacaremos
sacaréis
sacarán

CONDICIONAL
sacaría
sacarías
sacaría
sacaríamos
sacaríais
sacarían

SUBJUNTIVO

PRESENTE
saque
saques
saque
saquemos
saquéis
saquen

IMPERFECTO
sacara o sacase
sacaras o sacases
sacara o sacase
sacáramos o sacásemos
sacarais o sacaseis
sacaran o sacasen

FUTURO
sacare
sacares
sacare
sacáremos
sacareis
sacaren

IMPERATIVO

saca
saque
saquemos
sacad
saquen

FORMAS NO PERSONALES

INFINITIVO sacar

GERUNDIO sacando

PARTICIPIO sacado

5 AHINCAR

INDICATIVO

PRESENTE
ahínco
ahíncas
ahínca
ahincamos
ahincáis
ahíncan

IMPERFECTO
ahincaba
ahincabas
ahincaba
ahincábamos
ahincabais
ahincaban

INDEFINIDO
ahinqué
ahincaste
ahincó
ahincamos
ahincasteis
ahincaron

FUTURO
ahincaré
ahincarás
ahincará
ahincaremos
ahincaréis
ahincarán

CONDICIONAL
ahincaría
ahincarías
ahincaría
ahincaríamos
ahincaríais
ahincarían

SUBJUNTIVO

PRESENTE
ahínque
ahínques
ahínque
ahinquemos
ahinquéis
ahínquen

IMPERFECTO
ahincara o ahincase
ahincaras o ahincases
ahincara o ahincase
ahincáramos o ahincásemos
ahincarais o ahincaseis
ahincaran o ahincasen

FUTURO
ahincare
ahincares
ahincare
ahincáremos
ahincareis
ahincaren

IMPERATIVO

ahínca
ahínque
ahinquemos
ahincad
ahínquen

FORMAS NO PERSONALES

INFINITIVO	ahincar
GERUNDIO	ahincando
PARTICIPIO	ahincado

INDICATIVO

PRESENTE
delinco
delinques
delinque
delinquimos
delinquís
delinquen

IMPERFECTO
delinquía
delinquías
delinquía
delinquíamos
delinquíais
delinquían

INDEFINIDO
delinquí
delinquiste
delinquió
delinquimos
delinquisteis
delinquieron

FUTURO
delinquiré
delinquirás
delinquirá
delinquiremos
delinquiréis
delinquirán

CONDICIONAL
delinquiría
delinquirías
delinquiría
delinquiríamos
delinquiríais
delinquirían

SUBJUNTIVO

PRESENTE
delinca
delincas
delinca
delincamos
delincáis
delincan

IMPERFECTO
delinquiera o delinquiese
delinquieras o delinquieses
delinquiera o delinquiese
delinquiéramos o delinquiésemos
delinquierais o delinquieseis
delinquieran o delinquiesen

FUTURO
delinquiere
delinquieres
delinquiere
delinquiéremos
delinquiereis
delinquieren

IMPERATIVO

delinque
delinca
delincamos
delinquid
delincan

FORMAS NO PERSONALES

INFINITIVO   delinquir

GERUNDIO   delinquiendo

PARTICIPIO   delinquido

7 PAGAR

INDICATIVO	SUBJUNTIVO
PRESENTE	**PRESENTE**
pago	*pague*
pagas	*pagues*
paga	*pague*
pagamos	*paguemos*
pagáis	*paguéis*
pagan	*paguen*
IMPERFECTO	**IMPERFECTO**
pagaba	pagara *o* pagase
pagabas	pagaras *o* pagases
pagaba	pagara *o* pagase
pagábamos	pagáramos *o* pagásemos
pagabais	pagarais *o* pagaseis
pagaban	pagaran *o* pagasen
INDEFINIDO	**FUTURO**
pagué	pagare
pagaste	pagares
pagó	pagare
pagamos	pagáremos
pagasteis	pagareis
pagaron	pagaren
FUTURO	

FUTURO
pagaré
pagarás
pagará
pagaremos
pagaréis
pagarán

IMPERATIVO
paga
pague
paguemos
pagad
paguen

CONDICIONAL
pagaría
pagarías
pagaría
pagaríamos
pagaríais
pagarían

FORMAS NO PERSONALES	
INFINITIVO	pagar
GERUNDIO	pagando
PARTICIPIO	pagado

CABRAHIGAR 8

INDICATIVO

PRESENTE
cabrahígo
cabrahígas
cabrahíga
cabrahigamos
cabrahigáis
cabrahígan

IMPERFECTO
cabrahigaba
cabrahigabas
cabrahigaba
cabrahigábamos
cabrahigabais
cabrahigaban

INDEFINIDO
cabrahigué
cabrahigaste
cabrahigó
cabrahigamos
cabrahigasteis
cabrahigaron

FUTURO
cabrahigaré
cabrahigarás
cabrahigará
cabrahigaremos
cabrahigaréis
cabrahigarán

CONDICIONAL
cabrahigaría
cabrahigarías
cabrahigaría
cabrahigaríamos
cabrahigaríais
cabrahigarían

SUBJUNTIVO

PRESENTE
cabrahígue
cabrahígues
cabrahígue
cabrahiguemos
cabrahiguéis
cabrahíguen

IMPERFECTO
cabrahigara o cabrahigase
cabrahigaras o cabrahigases
cabrahigara o cabrahigase
cabrahigáramos o cabrahigásemos
cabrahigarais o cabrahigaseis
cabrahigaran o cabrahigasen

FUTURO
cabrahigare
cabrahigares
cabrahigare
cabrahigáremos
cabrahigareis
cabrahigaren

IMPERATIVO

cabrahíga
cabrahígue
cabrahiguemos
cabrahigad
cabrahíguen

FORMAS NO PERSONALES

INFINITIVO cabrahigar

GERUNDIO cabrahigando

PARTICIPIO cabrahigado

9 AVERIGUAR

INDICATIVO

PRESENTE
averiguo
averiguas
averigua
averiguamos
averiguáis
averiguan

IMPERFECTO
averiguaba
averiguabas
averiguaba
averiguábamos
averiguabais
averiguaban

INDEFINIDO
averigüé
averiguaste
averiguó
averiguamos
averiguasteis
averiguaron

FUTURO
averiguaré
averiguarás
averiguará
averiguaremos
averiguaréis
averiguarán

CONDICIONAL
averiguaría
averiguarías
averiguaría
averiguaríamos
averiguaríais
averiguarían

SUBJUNTIVO

PRESENTE
averigüe
averigües
averigüe
averigüemos
averigüéis
averigüen

IMPERFECTO
averiguara o averiguase
averiguaras o averiguases
averiguara o averiguase
averiguáramos o averiguásemos
averiguarais o averiguaseis
averiguaran o averiguasen

FUTURO
averiguare
averiguares
averiguare
averiguáremos
averiguareis
averiguaren

IMPERATIVO

averigua
averigüe
averigüemos
averiguad
averigüen

FORMAS NO PERSONALES

INFINITIVO averiguar

GERUNDIO averiguando

PARTICIPIO averiguado

INDICATIVO

PRESENTE
distingo
distingues
distingue
distinguimos
distinguís
distinguen

IMPERFECTO
distinguía
distinguías
distinguía
distinguíamos
distinguíais
distinguían

INDEFINIDO
distinguí
distinguiste
distinguió
distinguimos
distinguisteis
distinguieron

FUTURO
distinguiré
distinguirás
distinguirá
distinguiremos
distinguiréis
distinguirán

CONDICIONAL
distinguiría
distinguirías
distinguiría
distinguiríamos
distinguiríais
distinguirían

SUBJUNTIVO

PRESENTE
distinga
distingas
distinga
distingamos
distingáis
distingan

IMPERFECTO
distinguiera o distinguiese
distinguieras o distinguieses
distinguiera o distinguiese
distinguiéramos o distinguiésemos
distinguierais o distinguieseis
distinguieran o distinguiesen

FUTURO
distinguiere
distinguieres
distinguiere
distinguiéremos
distinguiereis
distinguieren

IMPERATIVO

distingue
distinga
distingamos
distinguid
distingan

FORMAS NO PERSONALES

INFINITIVO distinguir

GERUNDIO distinguiendo

PARTICIPIO distinguido

INDICATIVO

PRESENTE
cazo
cazas
caza
cazamos
cazáis
cazan

IMPERFECTO
cazaba
cazabas
cazaba
cazábamos
cazabais
cazaban

INDEFINIDO
cacé
cazaste
cazó
cazamos
cazasteis
cazaron

FUTURO
cazaré
cazarás
cazará
cazaremos
cazaréis
cazarán

CONDICIONAL
cazaría
cazarías
cazaría
cazaríamos
cazaríais
cazarían

SUBJUNTIVO

PRESENTE
cace
caces
cace
cacemos
cacéis
cacen

IMPERFECTO
cazara o cazase
cazaras o cazases
cazara o cazase
cazáramos o cazásemos
cazarais o cazaseis
cazaran o cazasen

FUTURO
cazare
cazares
cazare
cazáremos
cazareis
cazaren

IMPERATIVO

caza
cace
cacemos
cazad
cacen

FORMAS NO PERSONALES

INFINITIVO cazar

GERUNDIO cazando

PARTICIPIO cazado

INDICATIVO

PRESENTE
enraízo
enraízas
enraíza
enraizamos
enraizáis
enraízan

IMPERFECTO
enraizaba
enraizabas
enraizaba
enraizábamos
enraizabais
enraizaban

INDEFINIDO
enraicé
enraizaste
enraizó
enraizamos
enraizasteis
enraizaron

FUTURO
enraizaré
enraizarás
enraizará
enraizaremos
enraizaréis
enraizarán

CONDICIONAL
enraizaría
enraizarías
enraizaría
enraizaríamos
enraizaríais
enraizarían

SUBJUNTIVO

PRESENTE
enraíce
enraíces
enraíce
enraicemos
enraicéis
enraícen

IMPERFECTO
enraizara *o* enraizase
enraizaras *o* enraizases
enraizara *o* enraizase
enraizáramos *o* enraizásemos
enraizarais *o* enraizaseis
enraizaran *o* enraizasen

FUTURO
enraizare
enraizares
enraizare
enraizáremos
enraizareis
enraizaren

IMPERATIVO

enraíza
enraíce
enraicemos
enraizad
enraícen

FORMAS NO PERSONALES

INFINITIVO	enraizar
GERUNDIO	enraizando
PARTICIPIO	enraizado

13 MECER

INDICATIVO

PRESENTE
mezo
meces
mece
mecemos
mecéis
mecen

IMPERFECTO
mecía
mecías
mecía
mecíamos
mecíais
mecían

INDEFINIDO
mecí
meciste
meció
mecimos
mecisteis
mecieron

FUTURO
meceré
mecerás
mecerá
meceremos
meceréis
mecerán

CONDICIONAL
mecería
mecerías
mecería
meceríamos
meceríais
mecerían

SUBJUNTIVO

PRESENTE
meza
mezas
meza
mezamos
mezáis
mezan

IMPERFECTO
meciera *o* meciese
mecieras *o* mecieses
meciera *o* meciese
meciéramos *o* meciésemos
mecierais *o* mecieseis
mecieran *o* meciesen

FUTURO
meciere
mecieres
meciere
meciéremos
meciereis
mecieren

IMPERATIVO

mece
meza
mezamos
meced
mezan

FORMAS NO PERSONALES

INFINITIVO mecer

GERUNDIO meciendo

PARTICIPIO mecido

INDICATIVO

PRESENTE
zurzo
zurces
zurce
zurcimos
zurcís
zurcen

IMPERFECTO
zurcía
zurcías
zurcía
zurcíamos
zurcíais
zurcían

INDEFINIDO
zurcí
zurciste
zurció
zurcimos
zurcisteis
zurcieron

FUTURO
zurciré
zurcirás
zurcirá
zurciremos
zurciréis
zurcirán

CONDICIONAL
zurciría
zurcirías
zurciría
zurciríamos
zurciríais
zurcirían

SUBJUNTIVO

PRESENTE
zurza
zurzas
zurza
zurzamos
zurzáis
zurzan

IMPERFECTO
zurciera o zurciese
zurcieras o zurcieses
zurciera o zurciese
zurciéramos o zurciésemos
zurcierais o zurcieseis
zurcieran o zurciesen

FUTURO
zurciere
zurcieres
zurciere
zurciéremos
zurciereis
zurcieren

IMPERATIVO

zurce
zurza
zurzamos
zurcid
zurzan

FORMAS NO PERSONALES

INFINITIVO zurcir

GERUNDIO zurciendo

PARTICIPIO zurcido

INDICATIVO

PRESENTE
protejo
proteges
protege
protegemos
protegéis
protegen

IMPERFECTO
protegía
protegías
protegía
protegíamos
protegíais
protegían

INDEFINIDO
protegí
protegiste
protegió
protegimos
protegisteis
protegieron

FUTURO
protegeré
protegerás
protegerá
protegeremos
protegeréis
protegerán

CONDICIONAL
protegería
protegerías
protegería
protegeríamos
protegeríais
protegerían

SUBJUNTIVO

PRESENTE
proteja
protejas
proteja
protejamos
protejáis
protejan

IMPERFECTO
protegiera o protegiese
protegieras o protegieses
protegiera o protegiese
protegiéramos o protegiésemos
protegierais o protegieseis
protegieran o protegiesen

FUTURO
protegiere
protegieres
protegiere
protegiéremos
protegiereis
protegieren

IMPERATIVO

protege
proteja
protejamos
proteged
protejan

FORMAS NO PERSONALES

INFINITIVO	proteger
GERUNDIO	protegiendo
PARTICIPIO	protegido

INDICATIVO

PRESENTE
dirijo
diriges
dirige
dirigimos
dirigís
dirigen

IMPERFECTO
dirigía
dirigías
dirigía
dirigíamos
dirigíais
dirigían

INDEFINIDO
dirigí
dirigiste
dirigió
dirigimos
dirigisteis
dirigieron

FUTURO
dirigiré
dirigirás
dirigirá
dirigiremos
dirigiréis
dirigirán

CONDICIONAL
dirigiría
dirigirías
dirigiría
dirigiríamos
dirigiríais
dirigirían

SUBJUNTIVO

PRESENTE
dirija
dirijas
dirija
dirijamos
dirijáis
dirijan

IMPERFECTO
dirigiera o dirigiese
dirigieras o dirigieses
dirigiera o dirigiese
dirigiéramos o dirigiésemos
dirigierais o dirigieseis
dirigieran o dirigiesen

FUTURO
dirigiere
dirigieres
dirigiere
dirigiéremos
dirigiereis
dirigieren

IMPERATIVO

dirige
dirija
dirijamos
dirigid
dirijan

FORMAS NO PERSONALES

INFINITIVO dirigir

GERUNDIO dirigiendo

PARTICIPIO dirigido

17 LEER

INDICATIVO	SUBJUNTIVO

INDICATIVO

PRESENTE
leo
lees
lee
leemos
leéis
leen

IMPERFECTO
leía
leías
leía
leíamos
leíais
leían

INDEFINIDO
leí
leíste
leyó
leímos
leísteis
leyeron

FUTURO
leeré
leerás
leerá
leeremos
leeréis
leerán

CONDICIONAL
leería
leerías
leería
leeríamos
leeríais
leerían

SUBJUNTIVO

PRESENTE
lea
leas
lea
leamos
leáis
lean

IMPERFECTO
leyera o leyese
leyeras o leyeses
leyera o leyese
leyéramos o leyésemos
leyerais o leyeseis
leyeran o leyesen

FUTURO
leyere
leyeres
leyere
leyéremos
leyereis
leyeren

IMPERATIVO

lee
lea
leamos
leed
lean

FORMAS NO PERSONALES

INFINITIVO leer
GERUNDIO leyendo
PARTICIPIO leído

INDICATIVO

PRESENTE
guío
guías
guía
guiamos
guiáis
guían

IMPERFECTO
guiaba
guiabas
guiaba
guiábamos
guiabais
guiaban

INDEFINIDO
guié
guiaste
guió
guiamos
guiasteis
guiaron

FUTURO
guiaré
guiarás
guiará
guiaremos
guiaréis
guiarán

CONDICIONAL
guiaría
guiarías
guiaría
guiaríamos
guiaríais
guiarían

SUBJUNTIVO

PRESENTE
guíe
guíes
guíe
guiemos
guiéis
guíen

IMPERFECTO
guiara o guiase
guiaras o guiases
guiara o guiase
guiáramos o guiásemos
guiarais o guiaseis
guiaran o guiasen

FUTURO
guiare
guiares
guiare
guiáremos
guiareis
guiaren

IMPERATIVO

guía
guíe
guiemos
guiad
guíen

FORMAS NO PERSONALES

INFINITIVO guiar

GERUNDIO guiando

PARTICIPIO guiado

19 ACTUAR

INDICATIVO

PRESENTE
actúo
actúas
actúa
actuamos
actuáis
actúan

IMPERFECTO
actuaba
actuabas
actuaba
actuábamos
actuabais
actuaban

INDEFINIDO
actué
actuaste
actuó
actuamos
actuasteis
actuaron

FUTURO
actuaré
actuarás
actuará
actuaremos
actuaréis
actuarán

CONDICIONAL
actuaría
actuarías
actuaría
actuaríamos
actuaríais
actuarían

SUBJUNTIVO

PRESENTE
actúe
actúes
actúe
actuemos
actuéis
actúen

IMPERFECTO
actuara o actuase
actuaras o actuases
actuara o actuase
actuáramos o actuásemos
actuarais o actuaseis
actuaran o actuasen

FUTURO
actuare
actuares
actuare
actuáremos
actuareis
actuaren

IMPERATIVO

actúa
actúe
actuemos
actuad
actúen

FORMAS NO PERSONALES

INFINITIVO actuar

GERUNDIO actuando

PARTICIPIO actuado

INDICATIVO

PRESENTE
aíslo
aíslas
aísla
aislamos
aisláis
aíslan

IMPERFECTO
aislaba
aislabas
aislaba
aislábamos
aislabais
aislaban

INDEFINIDO
aislé
aislaste
aisló
aislamos
aislasteis
aislaron

FUTURO
aislaré
aislarás
aislará
aislaremos
aislaréis
aislarán

CONDICIONAL
aislaría
aislarías
aislaría
aislaríamos
aislaríais
aislarían

SUBJUNTIVO

PRESENTE
aísle
aísles
aísle
aislemos
aisléis
aíslen

IMPERFECTO
aislara *o* aislase
aislaras *o* aislases
aislara *o* aislase
aisláramos *o* aislásemos
aislarais *o* aislaseis
aislaran *o* aislasen

FUTURO
aislare
aislares
aislare
aisláremos
aislareis
aislaren

IMPERATIVO

aísla
aísle
aislemos
aislad
aíslen

FORMAS NO PERSONALES

INFINITIVO   aislar

GERUNDIO   aislando

PARTICIPIO   aislado

INDICATIVO

PRESENTE
aúno
aúnas
aúna
aunamos
aunáis
aúnan

IMPERFECTO
aunaba
aunabas
aunaba
aunábamos
aunabais
aunaban

INDEFINIDO
auné
aunaste
aunó
aunamos
aunasteis
aunaron

FUTURO
aunaré
aunarás
aunará
aunaremos
aunaréis
aunarán

CONDICIONAL
aunaría
aunarías
aunaría
aunaríamos
aunaríais
aunarían

SUBJUNTIVO

PRESENTE
aúne
aúnes
aúne
aunemos
aunéis
aúnen

IMPERFECTO
aunara o aunase
aunaras o aunases
aunara o aunase
aunáramos o aunásemos
aunarais o aunaseis
aunaran o aunasen

FUTURO
aunare
aunares
aunare
aunáremos
aunareis
aunaren

IMPERATIVO

aúna
aúne
aunemos
aunad
aúnen

FORMAS NO PERSONALES

INFINITIVO aunar

GERUNDIO aunando

PARTICIPIO aunado

INDICATIVO

PRESENTE
prohíbo
prohíbes
prohíbe
prohibimos
prohibís
prohíben

IMPERFECTO
prohibía
prohibías
prohibía
prohibíamos
prohibíais
prohibían

INDEFINIDO
prohibí
prohibiste
prohibió
prohibimos
prohibisteis
prohibieron

FUTURO
prohibiré
prohibirás
prohibirá
prohibiremos
prohibiréis
prohibirán

CONDICIONAL
prohibiría
prohibirías
prohibiría
prohibiríamos
prohibiríais
prohibirían

SUBJUNTIVO

PRESENTE
prohíba
prohíbas
prohíba
prohibamos
prohibáis
prohíban

IMPERFECTO
prohibiera o prohibiese
prohibieras o prohibieses
prohibiera o prohibiese
prohibiéramos o prohibiésemos
prohibierais o prohibieseis
prohibieran o prohibiesen

FUTURO
prohibiere
prohibieres
prohibiere
prohibiéremos
prohibiereis
prohibieren

IMPERATIVO

prohíbe
prohíba
prohibamos
prohibid
prohíban

FORMAS NO PERSONALES

INFINITIVO   prohibir

GERUNDIO   prohibiendo

PARTICIPIO   prohibido

23 REUNIR

INDICATIVO	SUBJUNTIVO

PRESENTE
reúno
reúnes
reúne
reunimos
reunís
reúnen

PRESENTE
reúna
reúnas
reúna
reunamos
reunáis
reúnan

IMPERFECTO
reunía
reunías
reunía
reuníamos
reuníais
reunían

IMPERFECTO
reuniera o reuniese
reunieras o reunieses
reuniera o reuniese
reuniéramos o reuniésemos
reunierais o reunieseis
reunieran o reuniesen

INDEFINIDO
reuní
reuniste
reunió
reunimos
reunisteis
reunieron

FUTURO
reuniere
reunieres
reuniere
reuniéremos
reuniereis
reunieren

FUTURO
reuniré
reunirás
reunirá
reuniremos
reuniréis
reunirán

IMPERATIVO

reúne
reúna
reunamos
reunid
reúnan

CONDICIONAL
reuniría
reunirías
reuniría
reuniríamos
reuniríais
reunirían

FORMAS NO PERSONALES

INFINITIVO reunir

GERUNDIO reuniendo

PARTICIPIO reunido

| INDICATIVO | | SUBJUNTIVO |

INDICATIVO

PRESENTE
—
—
—
abolimos
abolís
—

IMPERFECTO
abolía
abolías
abolía
abolíamos
abolíais
abolían

INDEFINIDO
abolí
aboliste
abolió
abolimos
abolisteis
abolieron

FUTURO
aboliré
abolirás
abolirá
aboliremos
aboliréis
abolirán

CONDICIONAL
aboliría
abolirías
aboliría
aboliríamos
aboliríais
abolirían

SUBJUNTIVO

PRESENTE
—
—
—
—
—
—

IMPERFECTO
aboliera o aboliese
abolieras o abolieses
aboliera o aboliese
aboliéramos o aboliésemos
abolierais o aboliereis
abolieran o aboliesen

FUTURO
aboliere
abolieres
aboliere
aboliéremos
aboliereis
abolieren

IMPERATIVO
—
—
—
abolid
—

FORMAS NO PERSONALES

INFINITIVO abolir
GERUNDIO aboliendo
PARTICIPIO abolido

EMBAÍR

INDICATIVO

PRESENTE
—
—
—
embaímos
embaís
—

IMPERFECTO
embaía
embaías
embaía
embaíamos
embaíais
embaían

INDEFINIDO
embaí
embaíste
embayó
embaímos
embaísteis
embayeron

FUTURO
embairé
embairás
embairá
embairemos
embairéis
embairán

CONDICIONAL
embairía
embairías
embairía
embairíamos
embairíais
embairían

SUBJUNTIVO

PRESENTE
—
—
—
—
—
—

IMPERFECTO
embayera o *embayese*
embayeras o *embayeses*
embayera o *embayese*
embayéramos o *embayésemos*
embayerais o *embayeseis*
embayeran o *embayesen*

FUTURO
embayere
embayeres
embayere
embayéremos
embayereis
embayeren

IMPERATIVO

—
—
embaíd
—

FORMAS NO PERSONALES

INFINITIVO   embaír

GERUNDIO   *embayendo*

PARTICIPIO   embaído

INDICATIVO

PRESENTE
abro
abres
abre
abrimos
abrís
abren

IMPERFECTO
abría
abrías
abría
abríamos
abríais
abrían

INDEFINIDO
abrí
abriste
abrió
abrimos
abristeis
abrieron

FUTURO
abriré
abrirás
abrirá
abriremos
abriréis
abrirán

CONDICIONAL
abriría
abrirías
abriría
abriríamos
abriríais
abrirían

SUBJUNTIVO

PRESENTE
abra
abras
abra
abramos
abráis
abran

IMPERFECTO
abriera o abriese
abrieras o abrieses
abriera o abriese
abriéramos o abriésemos
abrierais o abrieseis
abrieran o abriesen

FUTURO
abriere
abrieres
abriere
abriéremos
abriereis
abrieren

IMPERATIVO

abre
abra
abramos
abrid
abran

FORMAS NO PERSONALES

INFINITIVO abrir

GERUNDIO abriendo

PARTICIPIO *abierto*

INDICATIVO

PRESENTE
rompo
rompes
rompe
rompemos
rompéis
rompen

IMPERFECTO
rompía
rompías
rompía
rompíamos
rompíais
rompían

INDEFINIDO
rompí
rompiste
rompió
rompimos
rompisteis
rompieron

FUTURO
romperé
romperás
romperá
romperemos
romperéis
romperán

CONDICIONAL
rompería
romperías
rompería
romperíamos
romperíais
romperían

SUBJUNTIVO

PRESENTE
rompa
rompas
rompa
rompamos
rompáis
rompan

IMPERFECTO
rompiera o rompiese
rompieras o rompieses
rompiera o rompiese
rompiéramos o rompiésemos
rompierais o rompieseis
rompieran o rompiesen

FUTURO
rompiere
rompieres
rompiere
rompiéremos
rompiereis
rompieren

IMPERATIVO

rompe
rompa
rompamos
romped
rompan

FORMAS NO PERSONALES

INFINITIVO romper

GERUNDIO rompiendo

PARTICIPIO *roto*

INDICATIVO

PRESENTE
escribo
escribes
escribe
escribimos
escribís
escriben

IMPERFECTO
escribía
escribías
escribía
escribíamos
escribíais
escribían

INDEFINIDO
escribí
escribiste
escribió
escribimos
escribisteis
escribieron

FUTURO
escribiré
escribirás
escribirá
escribiremos
escribiréis
escribirán

CONDICIONAL
escribiría
escribirías
escribiría
escribiríamos
escribiríais
escribirían

SUBJUNTIVO

PRESENTE
escriba
escribas
escriba
escribamos
escribáis
escriban

IMPERFECTO
escribiera o escribiese
escribieras o escribieses
escribiera o escribiese
escribiéramos o escribiésemos
escribierais o escribieseis
escribieran o escribiesen

FUTURO
escribiere
escribieres
escribiere
escribiéremos
escribiereis
escribieren

IMPERATIVO

escribe
escriba
escribamos
escribid
escriban

FORMAS NO PERSONALES

INFINITIVO   escribir

GERUNDIO   escribiendo

PARTICIPIO   *escrito*

IMPRIMIR

INDICATIVO	SUBJUNTIVO

PRESENTE
imprimo
imprimes
imprime
imprimimos
imprimís
imprimen

PRESENTE
imprima
imprimas
imprima
imprimamos
imprimáis
impriman

IMPERFECTO
imprimía
imprimías
imprimía
imprimíamos
imprimíais
imprimían

IMPERFECTO
imprimiera o imprimiese
imprimieras o imprimieses
imprimiera o imprimiese
imprimiéramos o imprimiésemos
imprimierais o imprimieseis
imprimieran o imprimiesen

INDEFINIDO
imprimí
imprimiste
imprimió
imprimimos
imprimisteis
imprimieron

FUTURO
imprimiere
imprimieres
imprimiere
imprimiéremos
imprimiereis
imprimieren

FUTURO
imprimiré
imprimirás
imprimirá
imprimiremos
imprimiréis
imprimirán

IMPERATIVO

imprime
imprima
imprimamos
imprimid
impriman

CONDICIONAL
imprimiría
imprimirías
imprimiría
imprimiríamos
imprimiríais
imprimirían

FORMAS NO PERSONALES	
INFINITIVO	imprimir
GERUNDIO	imprimiendo
PARTICIPIO	*impreso* o *imprimido*

INDICATIVO

PRESENTE
proveo
provees
provee
proveemos
proveéis
proveen

IMPERFECTO
proveía
proveías
proveía
proveíamos
proveíais
proveían

INDEFINIDO
proveí
proveiste
proveyó
proveímos
proveísteis
proveyeron

FUTURO
proveeré
proveerás
proveerá
proveeremos
proveeréis
proveerán

CONDICIONAL
proveería
proveerías
proveería
proveeríamos
proveeríais
proveerían

SUBJUNTIVO

PRESENTE
provea
proveas
provea
proveamos
proveáis
provean

IMPERFECTO
proveyera o proveyese
proveyeras o proveyeses
proveyera o proveyese
proveyéramos o proveyésemos
proveyerais o proveyeseis
proveyeran o proveyesen

FUTURO
proveyere
proveyeres
proveyere
proveyéremos
proveyereis
proveyeren

IMPERATIVO

provee
provea
proveamos
proveed
provean

FORMAS NO PERSONALES

INFINITIVO   proveer

GERUNDIO   proveyendo

PARTICIPIO   provisto o proveído

PODRIR o PUDRIR

INDICATIVO

PRESENTE
pudro
pudres
pudre
pudrimos
pudrís
pudren

IMPERFECTO
pudría
pudrías
pudría
pudríamos
pudríais
pudrían

INDEFINIDO
pudrí
pudriste
pudrió
pudrimos
pudristeis
pudrieron

FUTURO
pudriré
pudrirás
pudrirá
pudriremos
pudriréis
pudrirán

CONDICIONAL
pudriría
pudrirías
pudriría
pudriríamos
pudriríais
pudrirían

SUBJUNTIVO

PRESENTE
pudra
pudras
pudra
pudramos
pudráis
pudran

IMPERFECTO
pudriera o pudriese
pudrieras o pudrieses
pudriera o pudriese
pudriéramos o pudriésemos
pudrierais o pudrieseis
pudrieran o pudriesen

FUTURO
pudriere
pudrieres
pudriere
pudriéremos
pudriereis
pudrieren

IMPERATIVO

pudre
pudra
pudramos
pudrid
pudran

FORMAS NO PERSONALES

INFINITIVO   *podrir* o *pudrir*

GERUNDIO   pudriendo

PARTICIPIO   *podrido*

INDICATIVO

PRESENTE
pido
pides
pide
pedimos
pedís
piden

IMPERFECTO
pedía
pedías
pedía
pedíamos
pedíais
pedían

INDEFINIDO
pedí
pediste
pidió
pedimos
pedisteis
pidieron

FUTURO
pediré
pedirás
pedirá
pediremos
pediréis
pedirán

CONDICIONAL
pediría
pedirías
pediría
pediríamos
pediríais
pedirían

SUBJUNTIVO

PRESENTE
pida
pidas
pida
pidamos
pidáis
pidan

IMPERFECTO
pidiera o pidiese
pidieras o pidieses
pidiera o pidiese
pidiéramos o pidiésemos
pidierais o pidieseis
pidieran o pidiesen

FUTURO
pidiere
pidieres
pidiere
pidiéremos
pidiereis
pidieren

IMPERATIVO

pide
pida
pidamos
pedid
pidan

FORMAS NO PERSONALES

INFINITIVO pedir
GERUNDIO pidiendo
PARTICIPIO pedido

33 REGIR

INDICATIVO	SUBJUNTIVO

PRESENTE

rijo	rija
riges	rijas
rige	rija
regimos	rijamos
regís	rijáis
rigen	rijan

IMPERFECTO

regía	rigiera o rigiese
regías	rigieras o rigieses
regía	rigiera o rigiese
regíamos	rigiéramos o rigiésemos
regíais	rigierais o rigieseis
regían	rigieran o rigiesen

INDEFINIDO / **FUTURO**

regí	rigiere
registe	rigieres
rigió	rigiere
regimos	rigiéremos
registeis	rigiereis
rigieron	rigieren

FUTURO

regiré
regirás
regirá
regiremos
regiréis
regirán

IMPERATIVO

rige
rija
rijamos
regid
rijan

CONDICIONAL

regiría
regirías
regiría
regiríamos
regiríais
regirían

FORMAS NO PERSONALES

INFINITIVO	regir
GERUNDIO	rigiendo
PARTICIPIO	regido

INDICATIVO

PRESENTE
sigo
sigues
sigue
seguimos
seguís
siguen

IMPERFECTO
seguía
seguías
seguía
seguíamos
seguíais
seguían

INDEFINIDO
seguí
seguiste
siguió
seguimos
seguisteis
siguieron

FUTURO
seguiré
seguirás
seguirá
seguiremos
seguiréis
seguirán

CONDICIONAL
seguiría
seguirías
seguiría
seguiríamos
seguiríais
seguirían

SUBJUNTIVO

PRESENTE
siga
sigas
siga
sigamos
sigáis
sigan

IMPERFECTO
siguiera o siguiese
siguieras o siguieses
siguiera o siguiese
siguiéramos o siguiésemos
siguierais o siguieseis
siguieran o siguiesen

FUTURO
siguiere
siguieres
siguiere
siguiéremos
siguiereis
siguieren

IMPERATIVO

sigue
siga
sigamos
seguid
sigan

FORMAS NO PERSONALES

INFINITIVO   seguir

GERUNDIO   siguiendo

PARTICIPIO   seguido

INDICATIVO

PRESENTE
ciño
ciñes
ciñe
ceñimos
ceñís
ciñen

IMPERFECTO
ceñía
ceñías
ceñía
ceñíamos
ceñíais
ceñían

INDEFINIDO
ceñí
ceñiste
ciñó
ceñimos
ceñisteis
ciñeron

FUTURO
ceñiré
ceñirás
ceñirá
ceñiremos
ceñiréis
ceñirán

CONDICIONAL
ceñiría
ceñirías
ceñiría
ceñiríamos
ceñiríais
ceñirían

SUBJUNTIVO

PRESENTE
ciña
ciñas
ciña
ciñamos
ciñáis
ciñan

IMPERFECTO
ciñera o ciñese
ciñeras o ciñeses
ciñera o ciñese
ciñéramos o ciñésemos
ciñerais o ciñeseis
ciñeran o ciñesen

FUTURO
ciñere
ciñeres
ciñere
ciñéremos
ciñereis
ciñeren

IMPERATIVO

ciñe
ciña
ciñamos
ceñid
ciñan

FORMAS NO PERSONALES

INFINITIVO ceñir

GERUNDIO ciñiendo

PARTICIPIO ceñido

CONTAR 36

INDICATIVO

PRESENTE
cuento
cuentas
cuenta
contamos
contáis
cuentan

IMPERFECTO
contaba
contabas
contaba
contábamos
contabais
contaban

INDEFINIDO
conté
contaste
contó
contamos
contasteis
contaron

FUTURO
contaré
contarás
contará
contaremos
contaréis
contarán

CONDICIONAL
contaría
contarías
contaría
contaríamos
contaríais
contarían

SUBJUNTIVO

PRESENTE
cuente
cuentes
cuente
contemos
contéis
cuenten

IMPERFECTO
contara o contase
contaras o contases
contara o contase
contáramos o contásemos
contarais o contaseis
contaran o contasen

FUTURO
contare
contares
contare
contáremos
contareis
contaren

IMPERATIVO

cuenta
cuente
contemos
contad
cuenten

FORMAS NO PERSONALES

INFINITIVO   contar
GERUNDIO   contando
PARTICIPIO   contado

37 DESOSAR

INDICATIVO

PRESENTE
deshueso
deshuesas
deshuesa
desosamos
desosáis
deshuesan

IMPERFECTO
desosaba
desosabas
desosaba
desosábamos
desosabais
desosaban

INDEFINIDO
desosé
desosaste
desosó
desosamos
desosasteis
desosaron

FUTURO
desosaré
desosarás
desosará
desosaremos
desosaréis
desosarán

CONDICIONAL
desosaría
desosarías
desosaría
desosaríamos
desosaríais
desosarían

SUBJUNTIVO

PRESENTE
deshuese
deshueses
deshuese
desosemos
desoséis
deshuesen

IMPERFECTO
desosara o desosase
desosaras o desosases
desosara o desosase
desosáramos o desosásemos
desosarais o desosaseis
desosaran o desosasen

FUTURO
desosare
desosares
desosare
desosáremos
desosareis
desosaren

IMPERATIVO

deshuesa
deshuese
desosemos
desosad
deshuesen

FORMAS NO PERSONALES

INFINITIVO	desosar
GERUNDIO	desosando
PARTICIPIO	desosado

INDICATIVO

PRESENTE
agüero
agüeras
agüera
agoramos
agoráis
agüeran

IMPERFECTO
agoraba
agorabas
agoraba
agorábamos
agorabais
agoraban

INDEFINIDO
agoré
agoraste
agoró
agoramos
agorasteis
agoraron

FUTURO
agoraré
agorarás
agorará
agoraremos
agoraréis
agorarán

CONDICIONAL
agoraría
agorarías
agoraría
agoraríamos
agoraríais
agorarían

SUBJUNTIVO

PRESENTE
agüere
agüeres
agüere
agoremos
agoréis
agüeren

IMPERFECTO
agorara o agorase
agoraras o agorases
agorara o agorase
agoráramos o agorásemos
agorarais o agoraseis
agoraran o agorasen

FUTURO
agorare
agorares
agorare
agoráremos
agorareis
agoraren

IMPERATIVO

agüera
agüere
agoremos
agorad
agüeren

FORMAS NO PERSONALES

INFINITIVO agorar
GERUNDIO agorando
PARTICIPIO agorado

INDICATIVO

PRESENTE
avergüenzo
avergüenzas
avergüenza
avergonzamos
avergonzáis
avergüenzan

IMPERFECTO
avergonzaba
avergonzabas
avergonzaba
avergonzábamos
avergonzabais
avergonzaban

INDEFINIDO
avergoncé
avergonzaste
avergonzó
avergonzamos
avergonzasteis
avergonzaron

FUTURO
avergonzaré
avergonzarás
avergonzará
avergonzaremos
avergonzaréis
avergonzarán

CONDICIONAL
avergonzaría
avergonzarías
avergonzaría
avergonzaríamos
avergonzaríais
avergonzarían

SUBJUNTIVO

PRESENTE
avergüence
avergüences
avergüence
avergoncemos
avergoncéis
avergüencen

IMPERFECTO
avergonzara o avergonzase
avergonzaras o avergonzases
avergonzara o avergonzase
avergonzáramos o avergonzásemos
avergonzarais o avergonzaseis
avergonzaran o avergonzasen

FUTURO
avergonzare
avergonzares
avergonzáremos
avergonzareis
avergonzaren

IMPERATIVO

avergüenza
avergüence
avergoncemos
avergonzad
avergüencen

FORMAS NO PERSONALES

INFINITIVO   avergonzar

GERUNDIO   avergonzando

PARTICIPIO   avergonzado

COLGAR 40

INDICATIVO

PRESENTE
cuelgo
cuelgas
cuelga
colgamos
colgáis
cuelgan

IMPERFECTO
colgaba
colgabas
colgaba
colgábamos
colgabais
colgaban

INDEFINIDO
colgué
colgaste
colgó
colgamos
colgasteis
colgaron

FUTURO
colgaré
colgarás
colgará
colgaremos
colgaréis
colgarán

CONDICIONAL
colgaría
colgarías
colgaría
colgaríamos
colgaríais
colgarían

SUBJUNTIVO

PRESENTE
cuelgue
cuelgues
cuelgue
colguemos
colguéis
cuelguen

IMPERFECTO
colgara o colgase
colgaras o colgases
colgara o colgase
colgáramos o colgásemos
colgarais o colgaseis
colgaran o colgasen

FUTURO
colgare
colgares
colgare
colgáremos
colgareis
colgaren

IMPERATIVO

cuelga
cuelgue
colguemos
colgad
cuelguen

FORMAS NO PERSONALES

INFINITIVO colgar

GERUNDIO colgando

PARTICIPIO colgado

41 FORZAR

INDICATIVO

PRESENTE
fuerzo
fuerzas
fuerza
forzamos
forzáis
fuerzan

IMPERFECTO
forzaba
forzabas
forzaba
forzábamos
forzabais
forzaban

INDEFINIDO
forcé
forzaste
forzó
forzamos
forzasteis
forzaron

FUTURO
forzaré
forzarás
forzará
forzaremos
forzaréis
forzarán

CONDICIONAL
forzaría
forzarías
forzaría
forzaríamos
forzaríais
forzarían

SUBJUNTIVO

PRESENTE
fuerce
fuerces
fuerce
forcemos
forcéis
fuercen

IMPERFECTO
forzara o forzase
forzaras o forzases
forzara o forzase
forzáramos o forzásemos
forzarais o forzaseis
forzaran o forzasen

FUTURO
forzare
forzares
forzare
forzáremos
forzareis
forzaren

IMPERATIVO

fuerza
fuerce
forcemos
forzad
fuercen

FORMAS NO PERSONALES

INFINITIVO   forzar

GERUNDIO   forzando

PARTICIPIO   forzado

INDICATIVO

PRESENTE
trueco
truecas
trueca
trocamos
trocáis
truecan

IMPERFECTO
trocaba
trocabas
trocaba
trocábamos
trocabais
trocaban

INDEFINIDO
troqué
trocaste
trocó
trocamos
trocasteis
trocaron

FUTURO
trocaré
trocarás
trocará
trocaremos
trocaréis
trocarán

CONDICIONAL
trocaría
trocarías
trocaría
trocaríamos
trocaríais
trocarían

SUBJUNTIVO

PRESENTE
trueque
trueques
trueque
troquemos
troquéis
truequen

IMPERFECTO
trocara o trocase
trocaras o trocases
trocara o trocase
trocáramos o trocásemos
trocarais o trocaseis
trocaran o trocasen

FUTURO
trocare
trocares
trocare
trocáremos
trocareis
trocaren

IMPERATIVO

trueca
trueque
troquemos
trocad
truequen

FORMAS NO PERSONALES

INFINITIVO trocar

GERUNDIO trocando

PARTICIPIO trocado

43 MOVER

INDICATIVO

PRESENTE
muevo
mueves
mueve
movemos
movéis
mueven

IMPERFECTO
movía
movías
movía
movíamos
movíais
movían

INDEFINIDO
moví
moviste
movió
movimos
movisteis
movieron

FUTURO
moveré
moverás
moverá
moveremos
moveréis
moverán

CONDICIONAL
movería
moverías
movería
moveríamos
moveríais
moverían

SUBJUNTIVO

PRESENTE
mueva
muevas
mueva
movamos
mováis
muevan

IMPERFECTO
moviera *o* moviese
movieras *o* movieses
moviera *o* moviese
moviéramos *o* moviésemos
movierais *o* movieseis
movieran *o* moviesen

FUTURO
moviere
movieres
moviere
moviéremos
moviereis
movieren

IMPERATIVO

mueve
mueva
movamos
moved
muevan

FORMAS NO PERSONALES

INFINITIVO   mover

GERUNDIO   moviendo

PARTICIPIO   movido

OLER 44

INDICATIVO

PRESENTE
huelo
hueles
huele
olemos
oléis
huelen

IMPERFECTO
olía
olías
olía
olíamos
olíais
olían

INDEFINIDO
olí
oliste
olió
olimos
olisteis
olieron

FUTURO
oleré
olerás
olerá
oleremos
oleréis
olerán

CONDICIONAL
olería
olerías
olería
oleríamos
oleríais
olerían

SUBJUNTIVO

PRESENTE
huela
huelas
huela
olamos
oláis
huelan

IMPERFECTO
oliera o oliese
olieras o olieses
oliera o oliese
oliéramos o oliésemos
olierais o olieseis
olieran o oliesen

FUTURO
oliere
olieres
oliere
oliéremos
oliereis
olieren

IMPERATIVO

huele
huela
olamos
oled
huelan

FORMAS NO PERSONALES

INFINITIVO   oler
GERUNDIO   oliendo
PARTICIPIO   olido

45 TORCER

INDICATIVO

PRESENTE
tuerzo
tuerces
tuerce
torcemos
torcéis
tuercen

IMPERFECTO
torcía
torcías
torcía
torcíamos
torcíais
torcían

INDEFINIDO
torcí
torciste
torció
torcimos
torcisteis
torcieron

FUTURO
torceré
torcerás
torcerá
torceremos
torceréis
torcerán

CONDICIONAL
torcería
torcerías
torcería
torceríamos
torceríais
torcerían

SUBJUNTIVO

PRESENTE
tuerza
tuerzas
tuerza
torzamos
torzáis
tuerzan

IMPERFECTO
torciera *o* torciese
torcieras *o* torcieses
torciera *o* torciese
torciéramos *o* torciésemos
torcierais *o* torcieseis
torcieran *o* torciesen

FUTURO
torciere
torcieres
torciere
torciéremos
torciereis
torcieren

IMPERATIVO

tuerce
tuerza
torzamos
torced
tuerzan

FORMAS NO PERSONALES

INFINITIVO torcer

GERUNDIO torciendo

PARTICIPIO torcido

INDICATIVO

PRESENTE
vuelvo
vuelves
vuelve
volvemos
volvéis
vuelven

IMPERFECTO
volvía
volvías
volvía
volvíamos
volvíais
volvían

INDEFINIDO
volví
volviste
volvió
volvimos
volvisteis
volvieron

FUTURO
volveré
volverás
volverá
volveremos
volveréis
volverán

CONDICIONAL
volvería
volverías
volvería
volveríamos
volveríais
volverían

SUBJUNTIVO

PRESENTE
vuelva
vuelvas
vuelva
volvamos
volváis
vuelvan

IMPERFECTO
volviera *o* volviese
volvieras *o* volvieses
volviera *o* volviese
volviéramos *o* volviésemos
volvierais *o* volvieseis
volvieran *o* volviesen

FUTURO
volviere
volvieres
volviere
volviéremos
volviereis
volvieren

IMPERATIVO

vuelve
vuelva
volvamos
volved
vuelvan

FORMAS NO PERSONALES

INFINITIVO volver

GERUNDIO volviendo

PARTICIPIO *vuelto*

47 DORMIR

INDICATIVO

PRESENTE
duermo
duermes
duerme
dormimos
dormís
duermen

IMPERFECTO
dormía
dormías
dormía
dormíamos
dormíais
dormían

INDEFINIDO
dormí
dormiste
durmió
dormimos
dormisteis
durmieron

FUTURO
dormiré
dormirás
dormirá
dormiremos
dormiréis
dormirán

CONDICIONAL
dormiría
dormirías
dormiría
dormiríamos
dormiríais
dormirían

SUBJUNTIVO

PRESENTE
duerma
duermas
duerma
durmamos
durmáis
duerman

IMPERFECTO
durmiera o durmiese
durmieras o durmieses
durmiera o durmiese
durmiéramos o durmiésemos
durmierais o durmieseis
durmieran o durmiesen

FUTURO
durmiere
durmieres
durmiere
durmiéremos
durmiereis
durmieren

IMPERATIVO

duerme
duerma
durmamos
dormid
duerman

FORMAS NO PERSONALES

INFINITIVO   dormir

GERUNDIO   durmiendo

PARTICIPIO   dormido

INDICATIVO

PRESENTE
muero
mueres
muere
morimos
morís
mueren

IMPERFECTO
moría
morías
moría
moríamos
moríais
morían

INDEFINIDO
morí
moriste
murió
morimos
moristeis
murieron

FUTURO
moriré
morirás
morirá
moriremos
moriréis
morirán

CONDICIONAL
moriría
morirías
moriría
moriríamos
moriríais
morirían

SUBJUNTIVO

PRESENTE
muera
mueras
muera
muramos
muráis
mueran

IMPERFECTO
muriera o muriese
murieras o murieses
muriera o muriese
muriéramos o muriésemos
murierais o murieseis
murieran o muriesen

FUTURO
muriere
murieres
muriere
muriéremos
muriereis
murieren

IMPERATIVO

muere
muera
muramos
morid
mueran

FORMAS NO PERSONALES

INFINITIVO morir

GERUNDIO muriendo

PARTICIPIO muerto

49 PENSAR

INDICATIVO

PRESENTE
pienso
piensas
piensa
pensamos
pensáis
piensan

IMPERFECTO
pensaba
pensabas
pensaba
pensábamos
pensabais
pensaban

INDEFINIDO
pensé
pensaste
pensó
pensamos
pensasteis
pensaron

FUTURO
pensaré
pensarás
pensará
pensaremos
pensaréis
pensarán

CONDICIONAL
pensaría
pensarías
pensaría
pensaríamos
pensaríais
pensarían

SUBJUNTIVO

PRESENTE
piense
pienses
piense
pensemos
penséis
piensen

IMPERFECTO
pensara o pensase
pensaras o pensases
pensara o pensase
pensáramos o pensásemos
pensarais o pensaseis
pensaran o pensasen

FUTURO
pensare
pensares
pensare
pensáremos
pensareis
pensaren

IMPERATIVO

piensa
piense
pensemos
pensad
piensen

FORMAS NO PERSONALES

INFINITIVO pensar

GERUNDIO pensando

PARTICIPIO pensado

INDICATIVO

PRESENTE
empiezo
empiezas
empieza
empezamos
empezáis
empiezan

IMPERFECTO
empezaba
empezabas
empezaba
empezábamos
empezabais
empezaban

INDEFINIDO
empecé
empezaste
empezó
empezamos
empezasteis
empezaron

FUTURO
empezaré
empezarás
empezará
empezaremos
empezaréis
empezarán

CONDICIONAL
empezaría
empezarías
empezaría
empezaríamos
empezaríais
empezarían

SUBJUNTIVO

PRESENTE
empiece
empieces
empiece
empecemos
empecéis
empiecen

IMPERFECTO
empezara o empezase
empezaras o empezases
empezara o empezase
empezáramos o empezásemos
empezarais o empezaseis
empezaran o empezasen

FUTURO
empezare
empezares
empezare
empezáremos
empezareis
empezaren

IMPERATIVO

empieza
empiece
empecemos
empezad
empiecen

FORMAS NO PERSONALES

INFINITIVO empezar
GERUNDIO empezando
PARTICIPIO empezado

INDICATIVO	SUBJUNTIVO

PRESENTE
riego
riegas
riega
regamos
regáis
riegan

PRESENTE
riegue
riegues
riegue
reguemos
reguéis
rieguen

IMPERFECTO
regaba
regabas
regaba
regábamos
regabais
regaban

IMPERFECTO
regara o regase
regaras o regases
regara o regase
regáramos o regásemos
regarais o regaseis
regaran o regasen

INDEFINIDO
regué
regaste
regó
regamos
regasteis
regaron

FUTURO
regare
regares
regare
regáremos
regareis
regaren

FUTURO
regaré
regarás
regará
regaremos
regaréis
regarán

IMPERATIVO

riega
riegue
reguemos
regad
rieguen

CONDICIONAL
regaría
regarías
regaría
regaríamos
regaríais
regarían

FORMAS NO PERSONALES

INFINITIVO regar

GERUNDIO regando

PARTICIPIO regado

INDICATIVO

PRESENTE
yerro
yerras
yerra
erramos
erráis
yerran

IMPERFECTO
erraba
errabas
erraba
errábamos
errabais
erraban

INDEFINIDO
erré
erraste
erró
erramos
errasteis
erraron

FUTURO
erraré
errarás
errará
erraremos
erraréis
errarán

CONDICIONAL
erraría
errarías
erraría
erraríamos
erraríais
errarían

SUBJUNTIVO

PRESENTE
yerre
yerres
yerre
erremos
erréis
yerren

IMPERFECTO
errara o errase
erraras o errases
errara o errase
erráramos o errásemos
errarais o erraseis
erraran o errasen

FUTURO
errare
errares
errare
erráremos
errareis
erraren

IMPERATIVO

yerra
yerre
erremos
errad
yerren

FORMAS NO PERSONALES

INFINITIVO errar

GERUNDIO errando

PARTICIPIO errado

TENDER

INDICATIVO

PRESENTE
tiendo
tiendes
tiende
tendemos
tendéis
tienden

IMPERFECTO
tendía
tendías
tendía
tendíamos
tendíais
tendían

INDEFINIDO
tendí
tendiste
tendió
tendimos
tendisteis
tendieron

FUTURO
tenderé
tenderás
tenderá
tenderemos
tenderéis
tenderán

CONDICIONAL
tendería
tenderías
tendería
tenderíamos
tenderíais
tenderían

SUBJUNTIVO

PRESENTE
tienda
tiendas
tienda
tendamos
tendáis
tiendan

IMPERFECTO
tendiera o tendiese
tendieras o tendieses
tendiera o tendiese
tendiéramos o tendiésemos
tendierais o tendieseis
tendieran o tendiesen

FUTURO
tendiere
tendieres
tendiere
tendiéremos
tendiereis
tendieren

IMPERATIVO

tiende
tienda
tendamos
tended
tiendan

FORMAS NO PERSONALES

INFINITIVO tender

GERUNDIO tendiendo

PARTICIPIO tendido

INDICATIVO

PRESENTE
adquiero
adquieres
adquiere
adquirimos
adquirís
adquieren

IMPERFECTO
adquiría
adquirías
adquiría
adquiríamos
adquiríais
adquirían

INDEFINIDO
adquirí
adquiriste
adquirió
adquirimos
adquiristeis
adquirieron

FUTURO
adquiriré
adquirirás
adquirirá
adquiriremos
adquiriréis
adquirirán

CONDICIONAL
adquiriría
adquirirías
adquiriría
adquiriríamos
adquiriríais
adquirirían

SUBJUNTIVO

PRESENTE
adquiera
adquieras
adquiera
adquiramos
adquiráis
adquieran

IMPERFECTO
adquiriera o adquiriese
adquirieras o adquirieses
adquiriera o adquiriese
adquiriéramos o adquiriésemos
adquirierais o adquirieseis
adquirieran o adquiriesen

FUTURO
adquiriere
adquirieres
adquiriere
adquiriéremos
adquiriereis
adquirieren

IMPERATIVO

adquiere
adquiera
adquiramos
adquirid
adquieran

FORMAS NO PERSONALES

INFINITIVO	adquirir
GERUNDIO	adquiriendo
PARTICIPIO	adquirido

DISCERNIR

INDICATIVO	SUBJUNTIVO

PRESENTE
discierno
disciernes
discierne
discernimos
discernís
disciernen

PRESENTE
discierna
disciernas
discierna
discernamos
discernáis
disciernan

IMPERFECTO
discernía
discernías
discernía
discerníamos
discerníais
discernían

IMPERFECTO
discerniera *o* discerniese
discernieras *o* discernieses
discerniera *o* discerniese
discerniéramos *o* discerniésemos
discernierais *o* discernieseis
discernieran *o* discerniesen

INDEFINIDO
discerní
discerniste
discernió
discernimos
discernisteis
discernieron

FUTURO
discerniere
discernieres
discerniere
discerniéremos
discerniereis
discernieren

FUTURO
discerniré
discernirás
discernirá
discerniremos
discerniréis
discernirán

IMPERATIVO

discierne
discierna
discernamos
discernid
disciernan

CONDICIONAL
discerniría
discernirías
discerniría
discerniríamos
discerniríais
discernirían

FORMAS NO PERSONALES

INFINITIVO   discernir

GERUNDIO   discerniendo

PARTICIPIO   discernido

INDICATIVO

PRESENTE
siento
sientes
siente
sentimos
sentís
sienten

IMPERFECTO
sentía
sentías
sentía
sentíamos
sentíais
sentían

INDEFINIDO
sentí
sentiste
sintió
sentimos
sentisteis
sintieron

FUTURO
sentiré
sentirás
sentirá
sentiremos
sentiréis
sentirán

CONDICIONAL
sentiría
sentirías
sentiría
sentiríamos
sentiríais
sentirían

SUBJUNTIVO

PRESENTE
sienta
sientas
sienta
sintamos
sintáis
sientan

IMPERFECTO
sintiera o *sintiese*
sintieras o *sintieses*
sintiera o *sintiese*
sintiéramos o *sintiésemos*
sintierais o *sintieseis*
sintieran o *sintiesen*

FUTURO
sintiere
sintieres
sintiere
sintiéremos
sintiereis
sintieren

IMPERATIVO

siente
sienta
sintamos
sentid
sientan

FORMAS NO PERSONALES

INFINITIVO sentir

GERUNDIO *sintiendo*

PARTICIPIO sentido

57 ERGUIR

INDICATIVO

PRESENTE
irgo o yergo
irgues o yergues
irgue o yergue
erguimos
erguís
irguen o yerguen

IMPERFECTO
erguía
erguías
erguía
erguíamos
erguíais
erguían

INDEFINIDO
erguí
erguiste
irguió
erguimos
erguisteis
irguieron

FUTURO
erguiré
erguirás
erguirá
erguiremos
erguiréis
erguirán

CONDICIONAL
erguiría
erguirías
erguiría
erguiríamos
erguiríais
erguirían

SUBJUNTIVO

PRESENTE
irga o yerga
irgas o yergas
irga o yerga
irgamos o yergamos
irgáis o yergáis
irgan o yergan

IMPERFECTO
irguiera o irguiese
irguieras o irguieses
irguiera o irguiese
irguiéramos o irguiésemos
irguierais o irguieseis
irguieran o irguiesen

FUTURO
irguiere
irguieres
irguiere
irguiéremos
irguiereis
irguieren

IMPERATIVO

irgue o yergue
irga o yerga
irgamos o yergamos
erguid
irgan o yergan

FORMAS NO PERSONALES

INFINITIVO erguir

GERUNDIO irguiendo

PARTICIPIO erguido

INDICATIVO

PRESENTE
juego
juegas
juega
jugamos
jugáis
juegan

IMPERFECTO
jugaba
jugabas
jugaba
jugábamos
jugabais
jugaban

INDEFINIDO
jugué
jugaste
jugó
jugamos
jugasteis
jugaron

FUTURO
jugaré
jugarás
jugará
jugaremos
jugaréis
jugarán

CONDICIONAL
jugaría
jugarías
jugaría
jugaríamos
jugaríais
jugarían

SUBJUNTIVO

PRESENTE
juegue
juegues
juegue
juguemos
juguéis
jueguen

IMPERFECTO
jugara o jugase
jugaras o jugases
jugara o jugase
jugáramos o jugásemos
jugarais o jugaseis
jugaran o jugasen

FUTURO
jugare
jugares
jugare
jugáremos
jugareis
jugaren

IMPERATIVO

juega
juegue
juguemos
jugad
jueguen

FORMAS NO PERSONALES

INFINITIVO   jugar

GERUNDIO   jugando

PARTICIPIO   jugado

59 VER

PRESENTE
veo
ves
ve
vemos
veis
ven

IMPERFECTO
veía
veías
veía
veíamos
veíais
veían

INDEFINIDO
vi
viste
vio
vimos
visteis
vieron

FUTURO
veré
verás
verá
veremos
veréis
verán

CONDICIONAL
vería
verías
vería
veríamos
veríais
verían

SUBJUNTIVO

PRESENTE
vea
veas
vea
veamos
veáis
vean

IMPERFECTO
viera o viese
vieras o vieses
viera o viese
viéramos o viésemos
vierais o vieseis
vieran o viesen

FUTURO
viere
vieres
viere
viéremos
viereis
vieren

IMPERATIVO

ve
vea
veamos
ved
vean

FORMAS NO PERSONALES

INFINITIVO ver

GERUNDIO viendo

PARTICIPIO visto

INDICATIVO

PRESENTE
preveo
prevés
prevé
prevemos
prevéis
prevén

IMPERFECTO
preveía
preveías
preveía
preveíamos
preveíais
preveían

INDEFINIDO
preví
previste
previó
previmos
previsteis
previeron

FUTURO
preveré
preverás
preverá
preveremos
preveréis
preverán

CONDICIONAL
prevería
preverías
prevería
preveríamos
preveríais
preverían

SUBJUNTIVO

PRESENTE
prevea
preveas
prevea
preveamos
preveáis
prevean

IMPERFECTO
previera o previese
previeras o previeses
previera o previese
previéramos o previésemos
previerais o previeseis
previeran o previesen

FUTURO
previere
previeres
previere
previéremos
previereis
previeren

IMPERATIVO

prevé
prevea
preveamos
preved
prevean

FORMAS NO PERSONALES

INFINITIVO prever

GERUNDIO previendo

PARTICIPIO previsto

61 CARECER

INDICATIVO	SUBJUNTIVO

PRESENTE
carezco
careces
carece
carecemos
carecéis
carecen

PRESENTE
carezca
carezcas
carezca
carezcamos
carezcáis
carezcan

IMPERFECTO
carecía
carecías
carecía
carecíamos
carecíais
carecían

IMPERFECTO
careciera o careciese
carecieras o carecieses
careciera o careciese
careciéramos o careciésemos
carecierais o carecieseis
carecieran o careciesen

INDEFINIDO
carecí
careciste
careció
carecimos
carecisteis
carecieron

FUTURO
careciere
carecieres
careciere
careciéremos
careciereis
carecieren

FUTURO
careceré
carecerás
carecerá
careceremos
careceréis
carecerán

IMPERATIVO

carece
carezca
carezcamos
careced
carezcan

CONDICIONAL
carecería
carecerías
carecería
careceríamos
careceríais
carecerían

FORMAS NO PERSONALES

INFINITIVO   carecer

GERUNDIO   careciendo

PARTICIPIO   carecido

INDICATIVO

PRESENTE
luzco
luces
luce
lucimos
lucís
lucen

IMPERFECTO
lucía
lucías
lucía
lucíamos
lucíais
lucían

INDEFINIDO
lucí
luciste
lució
lucimos
lucisteis
lucieron

FUTURO
luciré
lucirás
lucirá
luciremos
luciréis
lucirán

CONDICIONAL
luciría
lucirías
luciría
luciríamos
luciríais
lucirían

SUBJUNTIVO

PRESENTE
luzca
luzcas
luzca
luzcamos
luzcáis
luzcan

IMPERFECTO
luciera o luciese
lucieras o lucieses
luciera o luciese
luciéramos o luciésemos
lucierais o lucieseis
lucieran o luciesen

FUTURO
luciere
lucieres
luciere
luciéremos
luciereis
lucieren

IMPERATIVO

luce
luzca
luzcamos
lucid
luzcan

FORMAS NO PERSONALES

INFINITIVO lucir

GERUNDIO luciendo

PARTICIPIO lucido

63 YACER

INDICATIVO

PRESENTE
yazco, yazgo o yago
yaces
yace
yacemos
yacéis
yacen

IMPERFECTO
yacía
yacías
yacía
yacíamos
yacíais
yacían

INDEFINIDO
yací
yaciste
yació
yacimos
yacisteis
yacieron

FUTURO
yaceré
yacerás
yacerá
yaceremos
yaceréis
yacerán

CONDICIONAL
yacería
yacerías
yacería
yaceríamos
yaceríais
yacerían

SUBJUNTIVO

PRESENTE
yazca, yazga o yaga
yazcas, yazgas o yagas
yazca, yazga o yaga
yazcamos, yazgamos o yagamos
yazcáis, yazgáis o yagáis
yazcan, yazgan o yagan

IMPERFECTO
yaciera o yaciese
yacieras o yacieses
yaciera o yaciese
yaciéramos o yaciésemos
yacierais o yacieseis
yacieran o yaciesen

FUTURO
yaciere
yacieres
yaciere
yaciéremos
yaciereis
yacieren

IMPERATIVO

yace o yaz
yazca, yazga o yaga
yazcamos, yazgamos o yagamos
yaced
yazcan, yazgan o yagan

FORMAS NO PERSONALES

INFINITIVO	yacer
GERUNDIO	yaciendo
PARTICIPIO	yacido

INDICATIVO

PRESENTE
valgo
vales
vale
valemos
valéis
valen

IMPERFECTO
valía
valías
valía
valíamos
valíais
valían

INDEFINIDO
valí
valiste
valió
valimos
valisteis
valieron

FUTURO
valdré
valdrás
valdrá
valdremos
valdréis
valdrán

CONDICIONAL
valdría
valdrías
valdría
valdríamos
valdríais
valdrían

SUBJUNTIVO

PRESENTE
valga
valgas
valga
valgamos
valgáis
valgan

IMPERFECTO
valiera o valiese
valieras o valieses
valiera o valiese
valiéramos o valiésemos
valierais o valieseis
valieran o valiesen

FUTURO
valiere
valieres
valiere
valiéremos
valiereis
valieren

IMPERATIVO

vale
valga
valgamos
valed
valgan

FORMAS NO PERSONALES

INFINITIVO   valer

GERUNDIO   valiendo

PARTICIPIO   valido

INDICATIVO

PRESENTE
salgo
sales
sale
salimos
salís
salen

IMPERFECTO
salía
salías
salía
salíamos
salíais
salían

INDEFINIDO
salí
saliste
salió
salimos
salisteis
salieron

FUTURO
saldré
saldrás
saldrá
saldremos
saldréis
saldrán

CONDICIONAL
saldría
saldrías
saldría
saldríamos
saldríais
saldrían

SUBJUNTIVO

PRESENTE
salga
salgas
salga
salgamos
salgáis
salgan

IMPERFECTO
saliera o saliese
salieras o salieses
saliera o saliese
saliéramos o saliésemos
salierais o salieseis
salieran o saliesen

FUTURO
saliere
salieres
saliere
saliéremos
saliereis
salieren

IMPERATIVO

sal
salga
salgamos
salid
salgan

FORMAS NO PERSONALES

INFINITIVO salir

GERUNDIO saliendo

PARTICIPIO salido

PONER

INDICATIVO

PRESENTE
pongo
pones
pone
ponemos
ponéis
ponen

IMPERFECTO
ponía
ponías
ponía
poníamos
poníais
ponían

INDEFINIDO
puse
pusiste
puso
pusimos
pusisteis
pusieron

FUTURO
pondré
pondrás
pondrá
pondremos
pondréis
pondrán

CONDICIONAL
pondría
pondrías
pondría
pondríamos
pondríais
pondrían

SUBJUNTIVO

PRESENTE
ponga
pongas
ponga
pongamos
pongáis
pongan

IMPERFECTO
pusiera o pusiese
pusieras o pusieses
pusiera o pusiese
pusiéramos o pusiésemos
pusierais o pusieseis
pusieran o pusiesen

FUTURO
pusiere
pusieres
pusiere
pusiéremos
pusiereis
pusieren

IMPERATIVO

pon
ponga
pongamos
poned
pongan

FORMAS NO PERSONALES

INFINITIVO poner

GERUNDIO poniendo

PARTICIPIO puesto

INDICATIVO

PRESENTE
asgo
ases
ase
asimos
asís
asen

IMPERFECTO
asía
asías
asía
asíamos
asíais
asían

INDEFINIDO
así
asiste
asió
asimos
asisteis
asieron

FUTURO
asiré
asiras
asirá
asiremos
asiréis
asirán

CONDICIONAL
asiría
asirías
asiría
asiríamos
asiríais
asirían

SUBJUNTIVO

PRESENTE
asga
asgas
asga
asgamos
asgáis
asgan

IMPERFECTO
asiera o asiese
asieras o asieses
asiera o asiese
asiéramos o asiésemos
asierais o asieseis
asieran o asiesen

FUTURO
asiere
asieres
asiere
asiéremos
asiereis
asieren

IMPERATIVO

ase
asga
asgamos
asid
asgan

FORMAS NO PERSONALES

INFINITIVO asir

GERUNDIO asiendo

PARTICIPIO asido

INDICATIVO

PRESENTE
oigo
oyes
oye
oímos
oís
oyen

IMPERFECTO
oía
oías
oía
oíamos
oíais
oían

INDEFINIDO
oí
oíste
oyó
oímos
oísteis
oyeron

FUTURO
oiré
oirás
oirá
oiremos
oiréis
oirán

CONDICIONAL
oiría
oirías
oiría
oiríamos
oiríais
oirían

SUBJUNTIVO

PRESENTE
oiga
oigas
oiga
oigamos
oigáis
oigan

IMPERFECTO
oyera o oyese
oyeras o oyeses
oyera o oyese
oyéramos o oyésemos
oyerais o oyeseis
oyeran o oyesen

FUTURO
oyere
oyeres
oyere
oyéremos
oyereis
oyeren

IMPERATIVO

oye
oiga
oigamos
oíd
oigan

FORMAS NO PERSONALES

INFINITIVO oír

GERUNDIO oyendo

PARTICIPIO oído

ROER

INDICATIVO	SUBJUNTIVO

PRESENTE

roo, *roigo* o *royo*
roes
roe
roemos
roéis
roen

PRESENTE

roa, *roiga* o *roya*
roas, *roigas* o *royas*
roa, *roiga* o *roya*
roamos, *roigamos* o *royamos*
roáis, *roigáis* o *royáis*
roan, *roigan* o *royan*

IMPERFECTO

roía
roías
roía
roíamos
roíais
roían

IMPERFECTO

royera o *royese*
royeras o *royeses*
royera o *royese*
royéramos o *royésemos*
royerais o *royeseis*
royeran o *royesen*

INDEFINIDO

roí
roíste
royó
roímos
roísteis
royeron

FUTURO

royere
royeres
royere
royéremos
royereis
royeren

FUTURO

roeré
roerás
roerá
roeremos
roeréis
roerán

IMPERATIVO

roe
roa, *roiga* o *roya*
roamos, *roigamos* o *royamos*
roed
roan, *roigan* o *royan*

CONDICIONAL

roería
roerías
roería
roeríamos
roeríais
roerían

FORMAS NO PERSONALES

INFINITIVO	roer
GERUNDIO	*royendo*
PARTICIPIO	roído

INDICATIVO

PRESENTE
huyo
huyes
huye
huimos
huís
huyen

IMPERFECTO
huía
huías
huía
huíamos
huíais
huían

INDEFINIDO
huí
huiste
huyó
huimos
huisteis
huyeron

FUTURO
huiré
huirás
huirá
huiremos
huiréis
huirán

CONDICIONAL
huiría
huirías
huiría
huiríamos
huiríais
huirían

SUBJUNTIVO

PRESENTE
huya
huyas
huya
huyamos
huyáis
huyan

IMPERFECTO
huyera o huyese
huyeras o huyeses
huyera o huyese
huyéramos o huyésemos
huyerais o huyeseis
huyeran o huyesen

FUTURO
huyere
huyeres
huyere
huyéremos
huyereis
huyeren

IMPERATIVO

huye
huya
huyamos
huid
huyan

FORMAS NO PERSONALES

INFINITIVO huir

GERUNDIO huyendo

PARTICIPIO huido

INDICATIVO

PRESENTE
arguyo
arguyes
arguye
argüimos
argüís
arguyen

IMPERFECTO
argüía
argüías
argüía
argüíamos
argüíais
argüían

INDEFINIDO
argüí
argüiste
arguyó
argüimos
argüisteis
arguyeron

FUTURO
argüiré
argüirás
argüirá
argüiremos
argüiréis
argüirán

CONDICIONAL
argüiría
argüirías
argüiría
argüiríamos
argüiríais
argüirían

SUBJUNTIVO

PRESENTE
arguya
arguyas
arguya
arguyamos
arguyáis
arguyan

IMPERFECTO
arguyera o arguyese
arguyeras o arguyeses
arguyera o arguyese
arguyéramos o arguyésemos
arguyerais o arguyeseis
arguyeran o arguyesen

FUTURO
arguyere
arguyeres
arguyere
arguyéremos
arguyereis
arguyeren

IMPERATIVO

arguye
arguya
arguyamos
argüid
arguyan

FORMAS NO PERSONALES

INFINITIVO argüir

GERUNDIO arguyendo

PARTICIPIO argüido

TRAER 72

INDICATIVO	SUBJUNTIVO

PRESENTE
traigo
traes
trae
traemos
traéis
traen

PRESENTE
traiga
traigas
traiga
traigamos
traigáis
traigan

IMPERFECTO
traía
traías
traía
traíamos
traíais
traían

IMPERFECTO
trajera o trajese
trajeras o trajeses
trajera o trajese
trajéramos o trajésemos
trajerais o trajeseis
trajeran o trajesen

INDEFINIDO
traje
trajiste
trajo
trajimos
trajisteis
trajeron

FUTURO
trajere
trajeres
trajere
trajéremos
trajereis
trajeren

FUTURO
traeré
traerás
traerá
traeremos
traeréis
traerán

IMPERATIVO

trae
traiga
traigamos
traed
traigan

CONDICIONAL
traería
traerías
traería
traeríamos
traeríais
traerían

FORMAS NO PERSONALES

INFINITIVO traer

GERUNDIO trayendo

PARTICIPIO traído

INDICATIVO

PRESENTE
caigo
caes
cae
caemos
caéis
caen

IMPERFECTO
caía
caías
caía
caíamos
caíais
caían

INDEFINIDO
caí
caíste
cayó
caímos
caísteis
cayeron

FUTURO
caeré
caerás
caerá
caeremos
caeréis
caerán

CONDICIONAL
caería
caerías
caería
caeríamos
caeríais
caerían

SUBJUNTIVO

PRESENTE
caiga
caigas
caiga
caigamos
caigáis
caigan

IMPERFECTO
cayera o cayese
cayeras o cayeses
cayera o cayese
cayéramos o cayésemos
cayerais o cayeseis
cayeran o cayesen

FUTURO
cayere
cayeres
cayere
cayéremos
cayereis
cayeren

IMPERATIVO

cae
caiga
caigamos
caed
caigan

FORMAS NO PERSONALES

INFINITIVO   caer

GERUNDIO   cayendo

PARTICIPIO   caído

INDICATIVO

PRESENTE
rao, *raigo* o *rayo*
raes
rae
raemos
raéis
raen

IMPERFECTO
raía
raías
raía
raíamos
raíais
raían

INDEFINIDO
raí
raíste
rayó
raímos
raísteis
rayeron

FUTURO
raeré
raerás
raerá
raeremos
raeréis
raerán

CONDICIONAL
raería
raerías
raería
raeríamos
raeríais
raerían

SUBJUNTIVO

PRESENTE
raiga o *raya*
raigas o *rayas*
raiga o *raya*
raigamos o *rayamos*
raigáis o *rayáis*
raigan o *rayan*

IMPERFECTO
rayera o *rayese*
rayeras o *rayeses*
rayera o *rayese*
rayéramos o *rayésemos*
rayerais o *rayeseis*
rayeran o *rayesen*

FUTURO
rayere
rayeres
rayere
rayéremos
rayereis
rayeren

IMPERATIVO

rae
raiga o *raya*
raigamos o *rayamos*
raed
raigan o *rayan*

FORMAS NO PERSONALES

INFINITIVO   raer

GERUNDIO   *rayendo*

PARTICIPIO   raído

DAR

INDICATIVO	SUBJUNTIVO

PRESENTE
doy
das
da
damos
dais
dan

PRESENTE
dé
des
dé
demos
déis
den

IMPERFECTO
daba
dabas
daba
dábamos
dabais
daban

IMPERFECTO
diera o *diese*
dieras o *dieses*
diera o *diese*
diéramos o *diésemos*
dierais o *dieseis*
dieran o *diesen*

INDEFINIDO
di
diste
dio
dimos
disteis
dieron

FUTURO
diere
dieres
diere
diéremos
diereis
dieren

FUTURO
daré
darás
dará
daremos
daréis
darán

IMPERATIVO

da
dé
demos
dad
den

CONDICIONAL
daría
darías
daría
daríamos
daríais
darían

FORMAS NO PERSONALES

INFINITIVO dar

GERUNDIO dando

PARTICIPIO dado

INDICATIVO

PRESENTE
quepo
cabes
cabe
cabemos
cabéis
caben

IMPERFECTO
cabía
cabías
cabía
cabíamos
cabíais
cabían

INDEFINIDO
cupe
cupiste
cupo
cupimos
cupisteis
cupieron

FUTURO
cabré
cabrás
cabrá
cabremos
cabréis
cabrán

CONDICIONAL
cabría
cabrías
cabría
cabríamos
cabríais
cabrían

SUBJUNTIVO

PRESENTE
quepa
quepas
quepa
quepamos
quepáis
quepan

IMPERFECTO
cupiera o *cupiese*
cupieras o *cupieses*
cupiera o *cupiese*
cupiéramos o *cupiésemos*
cupierais o *cupieseis*
cupieran o *cupiesen*

FUTURO
cupiere
cupieres
cupiere
cupiéremos
cupiereis
cupieren

IMPERATIVO

cabe
quepa
quepamos
cabed
quepan

FORMAS NO PERSONALES

INFINITIVO   caber

GERUNDIO   cabiendo

PARTICIPIO   cabido

77 HACER

INDICATIVO	SUBJUNTIVO
PRESENTE	**PRESENTE**
hago	*haga*
haces	hagas
hace	haga
hacemos	hagamos
hacéis	hagáis
hacen	hagan
IMPERFECTO	**IMPERFECTO**
hacía	*hiciera* o *hiciese*
hacías	*hicieras* o *hicieses*
hacía	*hiciera* o *hiciese*
hacíamos	*hiciéramos* o *hiciésemos*
hacíais	*hicierais* o *hicieseis*
hacían	*hicieran* o *hiciesen*
INDEFINIDO	**FUTURO**
hice	*hiciere*
hiciste	*hicieres*
hizo	*hiciere*
hicimos	*hiciéremos*
hicisteis	*hiciereis*
hicieron	*hicieren*

FUTURO
haré
harás
hará
haremos
haréis
harán

IMPERATIVO

haz
haga
hagamos
haced
hagan

CONDICIONAL
haría
harías
haría
haríamos
haríais
harían

FORMAS NO PERSONALES	
INFINITIVO	hacer
GERUNDIO	haciendo
PARTICIPIO	*hecho*

INDICATIVO

PRESENTE
satisfago
satisfaces
satisface
satisfacemos
satisfacéis
satisfacen

IMPERFECTO
satisfacía
satisfacías
satisfacía
satisfacíamos
satisfacíais
satisfacían

INDEFINIDO
satisfice
satisficiste
satisfizo
satisficimos
satisficisteis
satisficieron

FUTURO
satisfaré
satisfarás
satisfará
satisfaremos
satisfaréis
satisfarán

CONDICIONAL
satisfaría
satisfarías
satisfaría
satisfaríamos
satisfaríais
satisfarían

SUBJUNTIVO

PRESENTE
satisfaga
satisfagas
satisfaga
satisfagamos
satisfagáis
satisfagan

IMPERFECTO
satisficiera o satisficiese
satisficieras o satisficieses
satisficiera o satisficiese
satisficiéramos o satisficiésemos
satisficierais o satisficieseis
satisficieran o satisficiesen

FUTURO
satisficiere
satisficieres
satisficiere
satisficiéremos
satisficiereis
satisficieren

IMPERATIVO

satisfaz o satisface
satisfaga
satisfagamos
satisfaced
satisfagan

FORMAS NO PERSONALES

INFINITIVO   satisfacer

GERUNDIO   satisfaciendo

PARTICIPIO   satisfecho

INDICATIVO

PRESENTE
rarefago
rarefaces
rareface
rarefacemos
rarefacéis
rarefacen

IMPERFECTO
rarefacía
rarefacías
rarefacía
rarefacíamos
rarefacíais
rarefacían

INDEFINIDO
rarefice
rareficiste
rarefizo
rareficimos
rareficisteis
rareficieron

FUTURO
rarefaré
rarefarás
rarefará
rarefaremos
rarefaréis
rarefarán

CONDICIONAL
rarefaría
rarefarías
rarefaría
rarefaríamos
rarefaríais
rarefarían

SUBJUNTIVO

PRESENTE
rarefaga
rarefagas
rarefaga
rarefagamos
rarefagáis
rarefagan

IMPERFECTO
rareficiera o rareficiese
rareficieras o rareficieses
rareficiera o rareficiese
rareficiéramos o rareficiésemos
rareficierais o rareficieseis
rareficieran o rareficiesen

FUTURO
rareficiere
rareficieres
rareficiere
rareficiéremos
rareficiereis
rareficieren

IMPERATIVO

rarefaz
rarefaga
rarefagamos
rarefaced
rarefagan

FORMAS NO PERSONALES

INFINITIVO   rarefacer

GERUNDIO   rarefaciendo

PARTICIPIO   rarefecho

INDICATIVO

PRESENTE
río
ríes
ríe
reímos
reís
ríen

IMPERFECTO
reía
reías
reía
reíamos
reíais
reían

INDEFINIDO
reí
reíste
rió
reímos
reísteis
rieron

FUTURO
reiré
reirás
reirá
reiremos
reiréis
reirán

CONDICIONAL
reiría
reirías
reiría
reiríamos
reiríais
reirían

SUBJUNTIVO

PRESENTE
ría
rías
ría
riamos
riáis
rían

IMPERFECTO
riera o riese
rieras o rieses
riera o riese
riéramos o riésemos
rierais o rieseis
rieran o riesen

FUTURO
riere
rieres
riere
riéremos
riereis
rieren

IMPERATIVO

ríe
ría
riamos
reíd
rían

FORMAS NO PERSONALES

INFINITIVO reír

GERUNDIO riendo

PARTICIPIO reído

FREÍR

INDICATIVO	SUBJUNTIVO

PRESENTE
frío
fríes
fríe
freímos
freís
fríen

PRESENTE
fría
frías
fría
friamos
friáis
frían

IMPERFECTO
freía
freías
freía
freíamos
freíais
freían

IMPERFECTO
friera o friese
frieras o frieses
friera o friese
friéramos o friésemos
frierais o frieseis
frieran o friesen

INDEFINIDO
freí
freíste
frió
freímos
freísteis
frieron

FUTURO
friere
frieres
friere
friéremos
friereis
frieren

FUTURO
freiré
freirás
freirá
freiremos
freiréis
freirán

IMPERATIVO

fríe
fría
friamos
freíd
frían

CONDICIONAL
freiría
freirías
freiría
freiríamos
freiríais
freirían

FORMAS NO PERSONALES

INFINITIVO freír

GERUNDIO friendo

PARTICIPIO frito

INDICATIVO

PRESENTE
bruño
bruñes
bruñe
bruñimos
bruñís
bruñen

IMPERFECTO
bruñía
bruñías
bruñía
bruñíamos
bruñíais
bruñían

INDEFINIDO
bruñí
bruñiste
bruñó
bruñimos
bruñisteis
bruñeron

FUTURO
bruñiré
bruñirás
bruñirá
bruñiremos
bruñiréis
bruñirán

CONDICIONAL
bruñiría
bruñirías
bruñiría
bruñiríamos
bruñiríais
bruñirían

SUBJUNTIVO

PRESENTE
bruña
bruñas
bruña
bruñamos
bruñáis
bruñan

IMPERFECTO
bruñera o *bruñese*
bruñeras o *bruñeses*
bruñera o *bruñese*
bruñéramos o *bruñésemos*
bruñerais o *bruñeseis*
bruñeran o *bruñesen*

FUTURO
bruñere
bruñeres
bruñere
bruñéremos
bruñereis
bruñeren

IMPERATIVO

bruñe
bruña
bruñamos
bruñid
bruñan

FORMAS NO PERSONALES

INFINITIVO bruñir

GERUNDIO *bruñendo*

PARTICIPIO bruñido

ENGULLIR

INDICATIVO

PRESENTE
engullo
engulles
engulle
engullimos
engullís
engullen

IMPERFECTO
engullía
engullías
engullía
engullíamos
engullíais
engullían

INDEFINIDO
engullí
engulliste
engulló
engullimos
engullisteis
engulleron

FUTURO
engulliré
engullirás
engullirá
engulliremos
engulliréis
engullirán

CONDICIONAL
engulliría
engullirías
engulliría
engulliríamos
engulliríais
engullirían

SUBJUNTIVO

PRESENTE
engulla
engullas
engulla
engullamos
engulláis
engullan

IMPERFECTO
engullera o *engullese*
engulleras o *engulleses*
engullera o *engullese*
engulléramos o *engullésemos*
engullerais o *engulleseis*
engulleran o *engullesen*

FUTURO
engullere
engulleres
engullere
engulléremos
engullereis
engulleren

IMPERATIVO

engulle
engulla
engullamos
engullid
engullan

FORMAS NO PERSONALES

INFINITIVO   engullir

GERUNDIO   *engullendo*

PARTICIPIO   engullido

TAÑER 84

INDICATIVO

PRESENTE
taño
tañes
tañe
tañemos
tañéis
tañen

IMPERFECTO
tañía
tañías
tañía
tañíamos
tañíais
tañían

INDEFINIDO
tañí
tañiste
tañó
tañimos
tañisteis
tañeron

FUTURO
tañeré
tañerás
tañerá
tañeremos
tañeréis
tañerán

CONDICIONAL
tañería
tañerías
tañería
tañeríamos
tañeríais
tañerían

SUBJUNTIVO

PRESENTE
taña
tañas
taña
tañamos
tañáis
tañan

IMPERFECTO
tañera o tañese
tañeras o tañeses
tañera o tañese
tañéramos o tañésemos
tañerais o tañeseis
tañeran o tañesen

FUTURO
tañere
tañeres
tañere
tañéremos
tañereis
tañeren

IMPERATIVO

tañe
taña
tañamos
tañed
tañan

FORMAS NO PERSONALES

INFINITIVO   tañer

GERUNDIO   tañendo

PARTICIPIO   tañido

INDICATIVO

PRESENTE
ando
andas
anda
andamos
andáis
andan

IMPERFECTO
andaba
andabas
andaba
andábamos
andabais
andaban

INDEFINIDO
anduve
anduviste
anduvo
anduvimos
anduvisteis
anduvieron

FUTURO
andaré
andarás
andará
andaremos
andaréis
andarán

CONDICIONAL
andaría
andarías
andaría
andaríamos
andaríais
andarían

SUBJUNTIVO

PRESENTE
ande
andes
ande
andemos
andéis
anden

IMPERFECTO
anduviera o *anduviese*
anduvieras o *anduvieses*
anduviera o *anduviese*
anduviéramos o *anduviésemos*
anduvierais o *anduvieseis*
anduvieran o *anduviesen*

FUTURO
anduviere
anduvieres
anduviere
anduviéremos
anduviereis
anduvieren

IMPERATIVO

anda
ande
andemos
andad
anden

FORMAS NO PERSONALES

INFINITIVO	andar
GERUNDIO	andando
PARTICIPIO	andado

CONDUCIR 86

INDICATIVO

PRESENTE
conduzco
conduces
conduce
conducimos
conducís
conducen

IMPERFECTO
conducía
conducías
conducía
conducíamos
conducíais
conducían

INDEFINIDO
conduje
condujiste
condujo
condujimos
condujisteis
condujeron

FUTURO
conduciré
conducirás
conducirá
conduciremos
conduciréis
conducirán

CONDICIONAL
conduciría
conducirías
conduciría
conduciríamos
conduciríais
conducirían

SUBJUNTIVO

PRESENTE
conduzca
conduzcas
conduzca
conduzcamos
conduzcáis
conduzcan

IMPERFECTO
condujera o condujese
condujeras o condujeses
condujera o condujese
condujéramos o condujésemos
condujerais o condujeseis
condujeran o condujesen

FUTURO
condujere
condujeres
condujere
condujéremos
condujereis
condujeren

IMPERATIVO

conduce
conduzca
conduzcamos
conducid
conduzcan

FORMAS NO PERSONALES

INFINITIVO conducir
GERUNDIO conduciendo
PARTICIPIO conducido

INDICATIVO	SUBJUNTIVO

PRESENTE
digo
dices
dice
decimos
decís
dicen

PRESENTE
diga
digas
diga
digamos
digáis
digan

IMPERFECTO
decía
decías
decía
decíamos
decíais
decían

IMPERFECTO
dijera o dijese
dijeras o dijeses
dijera o dijese
dijéramos o dijésemos
dijerais o dijeseis
dijeran o dijesen

INDEFINIDO
dije
dijiste
dijo
dijimos
dijisteis
dijeron

FUTURO
dijere
dijeres
dijere
dijéremos
dijereis
dijeren

FUTURO
diré
dirás
dirá
diremos
diréis
dirán

IMPERATIVO

di
diga
digamos
decid
digan

CONDICIONAL
diría
dirías
diría
diríamos
diríais
dirían

FORMAS NO PERSONALES

INFINITIVO   decir

GERUNDIO   diciendo

PARTICIPIO   dicho

INDICATIVO

PRESENTE
bendigo
bendices
bendice
bendecimos
bendecís
bendicen

IMPERFECTO
bendecía
bendecías
bendecía
bendecíamos
bendecíais
bendecían

INDEFINIDO
bendije
bendijiste
bendijo
bendijimos
bendijisteis
bendijeron

FUTURO
bendeciré
bendecirás
bendecirá
bendeciremos
bendeciréis
bendecirán

CONDICIONAL
bendeciría
bendecirías
bendeciría
bendeciríamos
bendeciríais
bendecirían

SUBJUNTIVO

PRESENTE
bendiga
bendigas
bendiga
bendigamos
bendigáis
bendigan

IMPERFECTO
bendijera o bendijese
bendijeras o bendijeses
bendijera o bendijese
bendijéramos o bendijésemos
bendijerais o bendijeseis
bendijeran o bendijesen

FUTURO
bendijere
bendijeres
bendijere
bendijéremos
bendijereis
bendijeren

IMPERATIVO

bendice
bendiga
bendigamos
bendecid
bendigan

FORMAS NO PERSONALES

INFINITIVO	bendecir
GERUNDIO	bendiciendo
PARTICIPIO	bendecido

89 PREDECIR

INDICATIVO

PRESENTE
predigo
predices
predice
predecimos
predecís
predicen

IMPERFECTO
predecía
predecías
predecía
predecíamos
predecíais
predecían

INDEFINIDO
predije
predijiste
predijo
predijimos
predijisteis
predijeron

FUTURO
predeciré
predecirás
predecirá
predeciremos
predeciréis
predecirán

CONDICIONAL
predeciría
predecirías
predeciría
predeciríamos
predeciríais
predecirían

SUBJUNTIVO

PRESENTE
prediga
predigas
prediga
predigamos
predigáis
predigan

IMPERFECTO
predijera o *predijese*
predijeras o *predijeses*
predijera o *predijese*
predijéramos o *predijésemos*
predijerais o *predijeseis*
predijeran o *predijesen*

FUTURO
predijere
predijeres
predijere
predijéremos
predijereis
predijeren

IMPERATIVO

predice
prediga
predigamos
predecid
predigan

FORMAS NO PERSONALES

INFINITIVO	predecir
GERUNDIO	*prediciendo*
PARTICIPIO	*predicho*

INDICATIVO

PRESENTE
estoy
estás
está
estamos
estáis
están

IMPERFECTO
estaba
estabas
estaba
estábamos
estabais
estaban

INDEFINIDO
estuve
estuviste
estuvo
estuvimos
estuvisteis
estuvieron

FUTURO
estaré
estarás
estará
estaremos
estaréis
estarán

CONDICIONAL
estaría
estarías
estaría
estaríamos
estaríais
estarían

SUBJUNTIVO

PRESENTE
esté
estés
esté
estemos
estéis
estén

IMPERFECTO
estuviera o estuviese
estuvieras o estuvieses
estuviera o estuviese
estuviéramos o estuviésemos
estuvierais o estuvieseis
estuvieran o estuviesen

FUTURO
estuviere
estuvieres
estuviere
estuviéremos
estuviereis
estuvieren

IMPERATIVO

está
esté
estemos
estad
estén

FORMAS NO PERSONALES

INFINITIVO estar

GERUNDIO estando

PARTICIPIO estado

INDICATIVO

PRESENTE
plazco
places
place
placemos
placéis
placen

IMPERFECTO
placía
placías
placía
placíamos
placíais
placían

INDEFINIDO
plací
placiste
plació o *plugo*
placimos
placisteis
placieron o *pluguieron*

FUTURO
placeré
placerás
placerá
placeremos
placeréis
placerán

CONDICIONAL
placería
placerías
placería
placeríamos
placeríais
placerían

SUBJUNTIVO

PRESENTE
plazca
plazcas
plazca o *plegue*
plazcamos
plazcáis
plazcan

IMPERFECTO
placiera o placiese
placieras o placieses
placiera o placiese o *pluguiera* o *pluguiese*
placiéramos o placiésemos
placierais o placieseis
placieran o placiesen o *pluguieran*
   o *pluguiesen*

FUTURO
placiere
placieres
placiere o *pluguiere*
placiéremos
placiereis
placieren o *pluguieren*

IMPERATIVO

place
plazca
plazcamos
placed
plazcan

FORMAS NO PERSONALES

INFINITIVO   placer

GERUNDIO   placiendo

PARTICIPIO   placido

INDICATIVO

PRESENTE
puedo
puedes
puede
podemos
podéis
pueden

IMPERFECTO
podía
podías
podía
podíamos
podíais
podían

INDEFINIDO
pude
pudiste
pudo
pudimos
pudisteis
pudieron

FUTURO
podré
podrás
podrá
podremos
podréis
podrán

CONDICIONAL
podría
podrías
podría
podríamos
podríais
podrían

SUBJUNTIVO

PRESENTE
pueda
puedas
pueda
podamos
podáis
puedan

IMPERFECTO
pudiera o *pudiese*
pudieras o *pudieses*
pudiera o *pudiese*
pudiéramos o *pudiésemos*
pudierais o *pudieseis*
pudieran o *pudiesen*

FUTURO
pudiere
pudieres
pudiere
pudiéremos
pudiereis
pudieren

IMPERATIVO

puede
pueda
podamos
poded
puedan

FORMAS NO PERSONALES

INFINITIVO   poder

GERUNDIO   *pudiendo*

PARTICIPIO   podido

INDICATIVO

PRESENTE
quiero
quieres
quiere
queremos
queréis
quieren

IMPERFECTO
quería
querías
quería
queríamos
queríais
querían

INDEFINIDO
quise
quisiste
quiso
quisimos
quisisteis
quisieron

FUTURO
querré
querrás
querrá
querremos
querréis
querrán

CONDICIONAL
querría
querrías
querría
querríamos
querríais
querrían

SUBJUNTIVO

PRESENTE
quiera
quieras
quiera
queramos
queráis
quieran

IMPERFECTO
quisiera o quisiese
quisieras o quisieses
quisiera o quisiese
quisiéramos o quisiésemos
quisierais o quisieseis
quisieran o quisiesen

FUTURO
quisiere
quisieres
quisiere
quisiéremos
quisiereis
quisieren

IMPERATIVO

quiere
quiera
queramos
quered
quieran

FORMAS NO PERSONALES

INFINITIVO   querer

GERUNDIO   queriendo

PARTICIPIO   querido

INDICATIVO

PRESENTE
sé
sabes
sabe
sabemos
sabéis
saben

IMPERFECTO
sabía
sabías
sabía
sabíamos
sabíais
sabían

INDEFINIDO
supe
supiste
supo
supimos
supisteis
supieron

FUTURO
sabré
sabrás
sabrá
sabremos
sabréis
sabrán

CONDICIONAL
sabría
sabrías
sabría
sabríamos
sabríais
sabrían

SUBJUNTIVO

PRESENTE
sepa
sepas
sepa
sepamos
sepáis
sepan

IMPERFECTO
supiera o supiese
supieras o supieses
supiera o supiese
supiéramos o supiésemos
supierais o supieseis
supieran o supiesen

FUTURO
supiere
supieres
supiere
supiéremos
supiereis
supieren

IMPERATIVO

sabe
sepa
sepamos
sabed
sepan

FORMAS NO PERSONALES

INFINITIVO   saber

GERUNDIO   sabiendo

PARTICIPIO   sabido

INDICATIVO	SUBJUNTIVO

PRESENTE
tengo
tienes
tiene
tenemos
tenéis
tienen

PRESENTE
tenga
tengas
tenga
tengamos
tengáis
tengan

IMPERFECTO
tenía
tenías
tenía
teníamos
teníais
tenían

IMPERFECTO
tuviera o tuviese
tuvieras o tuvieses
tuviera o tuviese
tuviéramos o tuviésemos
tuvierais o tuvieseis
tuvieran o tuviesen

INDEFINIDO
tuve
tuviste
tuvo
tuvimos
tuvisteis
tuvieron

FUTURO
tuviere
tuvieres
tuviere
tuviéremos
tuviereis
tuvieren

FUTURO
tendré
tendrás
tendrá
tendremos
tendréis
tendrán

IMPERATIVO

ten
tenga
tengamos
tened
tengan

CONDICIONAL
tendría
tendrías
tendría
tendríamos
tendríais
tendrían

FORMAS NO PERSONALES

INFINITIVO tener

GERUNDIO teniendo

PARTICIPIO tenido

INDICATIVO

PRESENTE
vengo
vienes
viene
venimos
venís
vienen

IMPERFECTO
venía
venías
venía
veníamos
veníais
venían

INDEFINIDO
vine
viniste
vino
vinimos
vinisteis
vinieron

FUTURO
vendré
vendrás
vendrá
vendremos
vendréis
vendrán

CONDICIONAL
vendría
vendrías
vendría
vendríamos
vendríais
vendrían

SUBJUNTIVO

PRESENTE
venga
vengas
venga
vengamos
vengáis
vengan

IMPERFECTO
viniera o viniese
vinieras o vinieses
viniera o viniese
viniéramos o viniésemos
vinierais o vinieseis
vinieran o viniesen

FUTURO
viniere
vinieres
viniere
viniéremos
viniereis
vinieren

IMPERATIVO

ven
venga
vengamos
venid
vengan

FORMAS NO PERSONALES

INFINITIVO   venir

GERUNDIO   viniendo

PARTICIPIO   venido

INDICATIVO

PRESENTE
he
has
ha (hay)
hemos
habéis
han

IMPERFECTO
había
habías
había
habíamos
habíais
habían

INDEFINIDO
hube
hubiste
hubo
hubimos
hubisteis
hubieron

FUTURO
habré
habrás
habrá
habremos
habréis
habrán

CONDICIONAL
habría
habrías
habría
habríamos
habríais
habrían

SUBJUNTIVO

PRESENTE
haya
hayas
haya
hayamos
hayáis
hayan

IMPERFECTO
hubiera o hubiese
hubieras o hubieses
hubiera o hubiese
hubiéramos o hubiésemos
hubierais o hubieseis
hubieran o hubiesen

FUTURO
hubiere
hubieres
hubiere
hubiéremos
hubiereis
hubieren

IMPERATIVO

he
haya
hayamos
habed
hayan

FORMAS NO PERSONALES

INFINITIVO haber

GERUNDIO habiendo

PARTICIPIO habido

INDICATIVO

PRESENTE
soy
eres
es
somos
sois
son

IMPERFECTO
era
eras
era
éramos
erais
eran

INDEFINIDO
fui
fuiste
fue
fuimos
fuisteis
fueron

FUTURO
seré
serás
será
seremos
seréis
serán

CONDICIONAL
sería
serías
sería
seríamos
seríais
serían

SUBJUNTIVO

PRESENTE
sea
seas
sea
seamos
seáis
sean

IMPERFECTO
fuera o fuese
fueras o fueses
fuera o fuese
fuéramos o fuésemos
fuerais o fueseis
fueran o fuesen

FUTURO
fuere
fueres
fuere
fuéremos
fuereis
fueren

IMPERATIVO

sé
sea
seamos
sed
sean

FORMAS NO PERSONALES

INFINITIVO   ser

GERUNDIO   siendo

PARTICIPIO   sido

INDICATIVO	SUBJUNTIVO
PRESENTE	**PRESENTE**
voy	vaya
vas	vayas
va	vaya
vamos	vayamos
vais	vayáis
van	vayan
IMPERFECTO	**IMPERFECTO**
iba	fuera o fuese
ibas	fueras o fueses
iba	fuera o fuese
íbamos	fuéramos o fuésemos
ibais	fuerais o fueseis
iban	fueran o fuesen
INDEFINIDO	**FUTURO**
fui	fuere
fuiste	fueres
fue	fuere
fuimos	fuéremos
fuisteis	fuereis
fueron	fueren

FUTURO
iré
irás
irá
iremos
iréis
irán

IMPERATIVO
ve
vaya
vayamos
id
vayan

CONDICIONAL
iría
irías
iría
iríamos
iríais
irían

FORMAS NO PERSONALES	
INFINITIVO	ir
GERUNDIO	yendo
PARTICIPIO	ido

Índice alfabético de verbos

aburrir	3	acaudillar	1	achubascarse	4
abusar	1	acautelarse	1	achuchar	1
abuzarse	11	acceder	2	achulaparse	1
acaballar	1	accidentar	1	achularse	1
acaballerar	1	accionar	1	achunchar	1
acaballonar	1	acebadar	1	achuntar	1
acabañar	1	acechar	1	achuñuscarse	1
acabar	1	acecinar	1	achurar	1
acabildar	1	acedar	1	acibarar	1
acachetar	1	aceitar	1	acicalar	1
acachetear	1	acelerar	1	acicatear	1
academizar	11	acendrar	1	acidificar	4
acaecer	61	acensar	1	acidular	1
acairelar	1	acensuar	19	aciemar	1
acalambrarse	1	acentuar	19	aciguatarse	1
acalenturarse	1	acepar	1	acivilarse	1
acallar	1	acepillar	1	aclamar	1
acalorar	1	aceptar	1	aclarar	1
acamalar	1	acequiar	1	aclarecer	61
acamar	1	acerar	1	aclimatar	1
acampanar	1	acercar	4	aclocar	42
acampar	1	acernadar	1	acobardar	1
acanalar	1	acerrojar	1	acobijar	1
acanallar	1	acertar	49	acocarse	4
acantarar	1	acetificar	4	acocear	1
acantilar	1	acetrinar	1	acocharse	1
acantonar	1	acezar	11	acochinar	1
acañaverear	1	achabacanar	1	acocotar	1
acañonear	1	achacar	4	acodalar	1
acaparar	1	achaflanar	1	acodar	1
acaramelar	1	achanchar	1	acoderar	1
acarar	1	achantar	1	acodiciar	1
acardenalar	1	achaparrarse	1	acodillar	1
acarear	1	acharar	1	acofrar	1
acariciar	1	acharolar	1	acoger	15
acarralar	1	achatar	1	acogollar	1
acarrarse	1	achicar	4	acogombrar	1
acarrear	1	achicharrar	1	acogotar	1
acartonarse	1	achinar	1	acohombrar	1
acatarrar	1	achispar	1	acojinar	1
acatar	1	achocar	4	acojonar	1
acaudalar	1	achocharse	1	acollarar	1

acollar	36	acrianzar	11	adentellar	1
acollonar	1	acribar	1	adentrarse	1
acombar	1	acribillar	1	aderezar	11
acomedirse	32	acriminar	1	adestrar	49
acometer	2	acriollarse	1	adeudar	1
acomodar	1	acrisolar	1	adherir	56
acompañar	1	acristalar	1	adiar	18
acompasar	1	acristianar	1	adicionar	1
acomplejar	1	acromatizar	11	adiestrar	1
aconchabarse	1	activar	1	adietar	1
aconchar	1	actualizar	11	adinerarse	1
acondicionar	1	**actuar**	**19**	adir	3
acongojar	1	acuadrillar	1	adivinar	1
aconsejar	1	acuantiar	1	adjetivar	1
aconsonantar	1	acuartelar	1	adjudicar	4
acontecer	61	acuartillar	1	adjuntar	1
acopar	1	acuatizar	11	adminicular	1
acopiar	1	acubilar	1	administrar	1
acoplar	1	acuchillar	1	admirar	1
acoquinar	1	acuciar	1	admitir	3
acorar	1	acuclillarse	1	adobar	1
acorazar	11	acudir	3	adocenar	1
acorchar	1	acuitar	1	adoctrinar	1
acordar	36	acular	1	adolecer	61
acordelar	1	acumular	1	adoptar	1
acordonar	1	acunar	1	adoquinar	1
acornar	1	acuñar	1	adorar	1
acornear	1	acurrucarse	4	adormecer	61
acorralar	1	acusar	1	adormilarse	1
acorrer	2	adamar	1	adormir	47
acorrucarse	1	adamascar	4	adormitarse	1
acortar	1	adaptar	1	adornar	1
acorvar	1	adargar	7	adosar	1
acosar	1	adatar	1	**adquirir**	**54**
acostar	36	adecenar	1	adscribir	28
acostumbrar	1	adecentar	1	adsorber	2
acotar	1	adecuar	1	adstringir	16
acoyundar	1	adehesar	1	aduanar	1
acoyuntar	1	adelantar	1	aducir	86
acrecentar	49	adelgazar	11	adueñarse	1
acrecer	61	ademar	1	adujar	1
acreditar	1	adensar	1	adular	1

adulcir	86	aforar [de aforo]	1	agraciar	1
adulterar	1	aforar [de fueros]	36	agradar	1
adulzar	11	aforrar	1	agradecer	61
adulzorar	1	afortunar	1	agramar	1
adumbrar	1	afosarse	1	agramilar	1
adunar	1	afoscarse	4	agrandar	1
advenir	96	afrailar	1	agravar	1
adverar	1	afrancesar	1	agraviar	1
adverbializar	11	afrentar	1	agrazar	11
advertir	56	afretar	1	agredir	24
aerotransportar	1	africanizar	11	agregar	7
afamar	1	afrontar	1	agremiar	1
afanar	1	agachar	1	agriar	1
afear	1	agalerar	1	agrietar	1
afeblecerse	61	agamuzar	11	agrillarse	1
afeccionarse	1	agarbarse	1	agringarse	7
afectar	1	agarrafar	1	agriparse	1
afeitar	1	agarrar	1	agrisar	1
afelpar	1	agarrochar	1	agrumar	1
afeminar	1	agarrotar	1	agrupar	1
aferrar	1	agasajar	1	aguacharnar	1
afervorizar	11	agatizarse	11	aguachinar	1
afianzar	11	agaucharse	1	aguaitar	1
aficionar	1	agavillar	1	aguamelar	1
afielar	1	agazaparse	1	aguantar	1
afijarse	1	agenciar	1	aguardar	1
afilar	1	agigantar	1	aguar	9
afiliar	1	agilipollar	1	aguazar	11
afiligranar	1	agilitar	1	agudizar	11
afinar	1	agilizar	11	aguerrir	24
afincar	4	aginar	1	aguijar	1
afirmar	1	agitanar	1	aguijonear	1
afistular	1	agitar	1	agujerar	1
aflautar	1	aglomerar	1	agujerear	1
afligir	16	aglutinar	1	agusanarse	1
aflojar	1	agobiar	1	aguzar	11
aflorar	1	agolpar	1	ahechar	1
afluir	70	agonizar	11	ahelear	1
afofarse	1	**agorar**	**38**	aherrojar	1
afogarar	1	agorgojarse	1	aherrumbrar	1
afollar	36	agostar	1	ahervorarse	1
afondar	1	agotar	1	ahidalgar	7

ahijar	20	ajuntar	1	alebrastarse	1
ahilar	20	ajustar	1	alebrestarse	1
ahincar	**5**	ajusticiar	1	aleccionar	1
ahitar	20	alabar	1	alegamar	1
ahocicar	4	alabear	1	alegar	7
ahocinarse	1	alaciarse	1	alegorizar	11
ahogar	7	alacranear	1	alegrar	1
ahombrarse	1	aladrar	1	alejar	1
ahondar	1	alagarse	7	alelar	1
ahorcajarse	1	alambicar	4	alentar	49
ahorcar	4	alambrar	1	alertar	1
ahormar	1	alambrear	1	aletargar	7
ahornagarse	7	alampar	1	aletear	1
ahornar	1	alancear	1	alfabetizar	11
ahorquillar	1	alanzar	11	alfar	1
ahorrar	1	alardear	1	alfeizar	11
ahoyar	1	alargar	7	alfeñicarse	4
ahuchar	21	alarmar	1	alfombrar	1
ahuchear	1	alastrar	1	alforzar	11
ahuecar	4	albañilear	1	algodonar	1
ahuevar	1	albardar	1	alhajar	1
ahumar	21	albayaldar	1	alheñar	1
ahusar	21	albear	1	aliar	18
ahuyentar	1	albeldar	49	alicatar	1
airar	20	albergar	7	alicortar	1
airear	1	alborear	1	alienar	1
aislar	**20**	alborotar	1	aligerar	1
ajabardar	1	alborozar	11	alijar	1
ajamonarse	1	albuminar	1	alimentar	1
ajardinar	1	alcachofar	1	alimonarse	1
ajar	1	alcahuetear	1	alindar	1
ajear	1	alcalinizar	11	alinear	1
ajetrear	1	alcalizar	11	aliñar	1
ajironar	1	alcanforar	1	aliquebrar	49
ajonjear	1	alcantarillar	1	alisar	1
ajorar	1	alcanzar	11	alistar	1
ajornalar	1	alcayatar	1	aliviar	1
ajorrar	1	alcoholar	1	aljofarar	1
ajuarar	1	alcoholizar	11	allanar	1
ajuglarar	1	alcorzar	11	allegar	7
ajuiciar	1	aldabear	1	almacenar	1
ajunquillar	1	alear	1	almacigar	7

almadiarse	18	amamantar	1	americanizar	11
almagrar	1	amancebarse	1	ameritar	1
almarbatar	1	amancillar	1	amerizar	11
almenar	1	amanear	1	ametrallar	1
almiarar	1	amanecer	61	amigar	7
almibarar	1	amanerar	1	amilanar	1
almidonar	1	amaniatar	1	amillarar	1
almizclar	1	amanojar	1	aminar	1
almohadillar	1	amansar	1	aminorar	1
almohazar	11	amañar	1	amistar	1
almonedar	1	amarar	1	amnistiar	18
almonedear	1	amarchantarse	1	amoblar	36
almorzar	41	amargar	7	amochar	1
alobarse	1	amariconarse	1	amodorrar	1
alocar	4	amarillear	1	amodorrecer	61
alojar	1	amarillecer	61	amohecer	61
alomar	1	amarinar	1	amohinar	20
alquilar	1	amarizar	11	amojamar	1
alquitarar	1	amaromar	1	amojonar	1
alquitranar	1	amarrar	1	amolar	36
altearse	1	amarrocar	1	amoldar	1
alterar	1	amartelar	1	amollar	36
altercar	4	amartillar	1	amonarse	1
alternar	1	amar	1	amonedar	1
alucinar	1	amasar	1	amonestar	1
aludir	3	amasijar	1	amontar	1
alumbrar	1	amayorazgar	7	amontazgar	7
alunizar	11	ambicionar	1	amontonar	1
alustrar	1	ambientar	1	amoquillar	1
alzaprimar	1	amblar	1	amoratarse	1
alzar	11	ambutar	1	amordazar	11
amachetear	1	amechar	1	amorecer	61
amacollar	1	amedrentar	1	amorgar	7
amadrigar	7	amelar	49	amoricarse	4
amadrinar	1	amelcochar	1	amorillar	1
amaestrar	1	amelgar	7	amorrar	1
amagar	7	amellar	1	amorriñarse	1
amainar	1	amenazar	11	amorronar	1
amaitinar	1	amenguar	9	amortajar	1
amajadar	1	amenizar	11	amortecer	61
amajanar	1	amenorgar	7	amortiguar	9
amalgamar	1	amerar	1	amortizar	11

amorugarse	7	angelizarse	11	añorar	1
amoscar	4	anglicanizar	11	añublar	1
amosquilarse	1	angostar	1	añudar	1
amostazar	11	angustiar	1	añusgarse	7
amotinar	1	anhelar	1	aojar	1
amover	43	anidar	1	aovar	1
amparar	1	anieblar	1	aovillar	1
ampliar	18	anillar	1	apabilar	1
amplificar	4	animalizar	11	apabullar	1
ampollar	1	animar	1	apacentar	49
amputar	1	aniñarse	1	apaciguar	9
amueblar	1	aniquilar	1	apadrinar	1
amuelar	1	anisar	1	apagar	7
amuermar	1	anochecer	61	apaisar	1
amugronar	1	anodinar	1	apalabrar	1
amurallar	1	anodizar	11	apalancar	4
amurar	1	anonadar	1	apalear	1
amurcar	4	anortar	1	apalpar	1
amurriarse	1	anotar	1	apandar	1
amusgar	7	anquilosar	1	apandillar	1
amustiar	1	ansiar	18	apantallar	1
anadear	1	antagallar	1	apantanar	1
analizar	11	anteceder	2	apañar	1
anarquizar	11	antecoger	15	apañuscar	4
anastomizarse	11	antedatar	1	aparar	1
anatematizar	11	antenunciar	1	aparatarse	1
anatomizar	11	anteponer	66	aparcar	4
anchar	1	antever	60	aparear	1
anchoar	1	anticipar	1	aparecer	61
anclar	1	anticuar	1	aparejar	1
ancorar	1	antiguar	9	aparentar	1
andamiar	1	antojarse	1	aparrar	1
andar	**85**	antorchar	1	aparroquiar	1
andorrear	1	antruejar	1	apartar	1
anear	1	anublar	1	apartidar	1
aneblar	49	anudar	1	aparvar	1
anegar	7	anular	1	apasionar	1
anejar	1	anunciar	1	apastar	1
anestesiar	1	anzolar	36	apayasar	1
anexar	1	añadir	3	apear	1
anexionar	1	añejar	1	apechar	1
angarillar	1	añilar	1	apechugar	7

apedazar	11	aplaudir	3	aprobar	36
apedrear	1	aplazar	11	aprontar	1
apegarse	7	aplebeyar	1	apropiar	1
apelambrar	1	aplicar	4	aprovechar	1
apelar	1	aplomar	1	aprovisionar	1
apellar	1	apocar	4	aproximar	1
apellidar	1	apocopar	1	apulgararse	1
apelmazar	11	apodar	1	apunarse	1
apelotonar	1	apoderar	1	apunchar	1
apenar	1	apolillar	1	apuntalar	1
apencar	4	apoltronarse	1	apuntar	1
apensionarse	1	apomazar	11	apuntillar	1
apeñuscar	4	apontocar	4	apuñalar	1
aperar	1	apopar	1	apuñar	1
apercibir	3	apoquinar	1	apuñear	1
aperdigar	7	aporcar	42	apurar	1
apergaminarse	1	aporismarse	1	aquejar	1
aperrear	1	aporrear	1	aquerenciarse	1
apersonarse	1	aporrillarse	1	aquietar	1
apesadumbrar	1	aportar	1	aquilatar	1
apesgar	7	aportillar	1	aquintralarse	1
apestar	1	aposentar	1	aquistar	1
apestillar	1	apostar ['colocar']	1	arabizar	11
apetecer	61	apostar		arañar	1
apezuñar	1	[de *apuesta*]	36	arar	1
apiadar	1	apostatar	1	arbitrar	1
apianar	1	apostemar	1	arbolar	1
apicararse	1	apostillar	1	arbolecer	61
apilar	1	apostrofar	1	arborecer	61
apimpollarse	1	apoyar	1	arborizar	11
apiñar	1	apreciar	1	arcabucear	1
apiolar	1	aprehender	2	arcaizar	12
apiparse	1	apremiar	1	arcar	4
apisonar	1	aprender	2	archivar	1
apitonar	1	apresar	1	arcillar	1
aplacar	4	aprestar	1	ardalear	1
aplacer	61	apresurar	1	arder	2
aplanar	1	apretar	49	arelar	1
aplanchar	1	apretujar	1	arenar	1
aplantillar	1	apriscar	4	arencar	4
aplastar	1	aprisionar	1	arengar	7
aplatanarse	1	aproar	1	arfar	1

argamasar	1	arregazar	11	arrumbar	1
argayar	1	arreglar	1	arrusticar	4
argentar	1	arregostarse	1	artesonar	1
argollar	1	arrejacar	4	articular	1
argüir	**71**	arrejuntarse	1	artigar	7
argumentar	1	arrellanarse	1	artillar	1
aricar	4	arremangar	7	aruñar	1
aridecer	61	arremeter	2	asacar	4
ariscarse	4	arremolinarse	1	asaetar	1
aristocratizar	11	arrendar	49	asaetear	1
arlar	1	arrepanchigarse	7	asainetear	1
armar	1	arrepentirse	56	asalariar	1
armiñar	1	arrepistar	1	asaltar	1
armonizar	11	arrequesonarse	1	asar	1
aromar	1	arrestar	1	ascender	53
aromatizar	11	arrezagar	7	asear	1
arpar	1	arriar	18	asechar	1
arpegiar	1	arribar	1	asedar	1
arponar	1	arriesgar	7	asediar	1
arponear	1	arrimar	1	asegurar	1
arquear	1	arrinconar	1	asemejar	1
arracimarse	1	arriostrar	1	asenderear	1
arraigar	7	arriscar	4	asentar	49
arralar	1	arrobar	1	asentir	56
arramblar	1	arrocinar	1	aserenar	1
arrancar	4	arrodillar	1	aseriarse	1
arranchar	1	arrodrigar	7	aserrar	49
arrapar	1	arrogar	7	aserruchar	1
arrasar	1	arrojar	1	asesar	1
arrastrar	1	arrollar	1	asesinar	1
arrear	1	arromanzar	11	asesorar	1
arrebañar	1	arromper	2	asestar	1
arrebatar	1	arronzar	11	aseverar	1
arrebolar	1	arropar	1	asfaltar	1
arrebozar	11	arrostrar	1	asfixiar	1
arrebujar	1	arroyar	1	asibilar	1
arrechuchar	1	arruar	19	asignar	1
arreciar	1	arrufar	1	asilar	1
arrecirse	24	arrugar	7	asimilar	1
arredilar	1	arruinar	1	**asir**	**67**
arredondear	1	arrullar	1	asistir	3
arredrar	1	arrumar	1	asnear	1

asobinarse	1	atascar	4	atocinar	1
asociar	1	ataviar	18	atollar	1
asolar [de a + sol]	1	atediar	1	atolondrar	1
asolar [de suelo]	36	atemorizar	11	atomizar	11
asolear	1	atemperar	1	atondar	36
asomar	1	atenazar	11	atontar	1
asombrar	1	atender	53	atontolinar	1
asonantar	1	atenebrarse	1	atorar ['atascar']	1
asonar	36	atenerse	95	atorar ['partir	
asorocharse	1	atentar ['cometer		en tueros']	36
aspar	1	atentado']	1	atormentar	1
aspaventar	49	atentar		atornillar	1
asperear	1	['ir con tiento']	49	atorozonarse	1
aspergear	1	atenuar	19	atortolar	1
asperjar	1	aterciopelar	1	atortujar	1
aspirar	1	aterecer	61	atosigar	7
asquear	1	aterir	24	atrabancar	4
astillar	1	aterrajar	1	atracar	4
astreñir	35	aterrar [de terror]	1	atraer	72
astringir	16	aterrar [de tierra]	49	atrafagar	7
asumir	3	aterrizar	11	atragantarse	1
asurar	1	aterronar	1	atraillar	20
asurcar	4	aterrorizar	11	atrampar	1
asustar	1	atesar	49	atrancar	4
atabalear	1	atesorar	1	atrapar	1
atablar	1	atestar	49	atrasar	1
atacar	4	atestiguar	9	atravesar	49
atafagar	7	atetar	1	atrechar	1
atajar	1	atetillar	1	atresnalar	1
atalayar	1	atezar	11	atreverse	2
ataludar	1	atibar	1	atribuir	70
ataluzar	11	atiborrar	1	atribular	1
atañer	84	atiesar	1	atrincherar	1
ataquizar	11	atildar	1	atrochar	1
ataracear	1	atinar	1	atrofiar	1
atarantar	1	atiplar	1	atronar	36
atarazar	11	atirantar	1	atronerar	1
atardecer	61	atisbar	1	atropar	1
atarear	1	atizar	11	atropellar	1
atarquinar	1	atizonar	1	atufar	1
atarugar	7	atoar	1	atumultuar	19
atar	1	atochar	1	atuntunarse	1

aturar	1	avaluar	19	azarandar	1
aturdir	3	avanecerse	61	azarar	1
aturrullar	1	avanzar	11	azarearse	1
aturullar	1	avasallar	1	azemar	1
atusar	1	avecinarse	1	azoar	1
auditar	1	avecindar	1	azogar	7
augurar	1	avejentar	1	azolar	36
aullar	21	avejigar	7	azolvar	1
aumentar	1	avellanar	1	azorar	1
aunar	**21**	avenar	1	azorrarse	1
auñar	1	avenenar	1	azotar	1
aupar	21	avenir	96	azucarar	1
aureolar	1	aventajar	1	azufrar	1
auscultar	1	aventar	49	azular	1
ausentar	1	aventurar	1	azulear	1
auspiciar	1	averdugar	7	azulejar	1
autenticar	4	**avergonzar**	**39**	azumagarse	7
autentificar	4	averiar	18	azurronarse	1
autoabaste-		**averiguar**	**9**	azuzar	11
cerse	61	averrugarse	7		
autoafirmarse	1	avezar	11		
autocalificarse	1	aviar	18	**B**	
autocomplacerse	61	aviciar	1		
autodefinirse	3	aviejar	1	babarse	1
autodenominarse	1	avigorar	1	babear	1
autodestruirse	3	avilantarse	1	babosear	1
autofinanciarse	1	avillanar	1	bachear	1
autografiar	18	avinagrar	1	bachillerar	1
autoinculparse	1	avisar	1	badajear	1
autoinmolarse	1	avispar	1	badulaquear	1
autolesionarse	1	avistar	1	bagar	7
automatizar	11	avituallar	1	bailar	1
autoproclamarse	1	avivar	1	bailotear	1
autorizar	11	avizorar	1	bajar	1
autorregularse	1	avocar	4	balacear	1
autosugestio-		axiomatizar	11	baladrar	1
narse	1	ayermar	1	baladronear	1
auxiliar	1	ayudar	1	balancear	1
avahar	1	ayunar	1	balaquear	1
avalar	1	azadonar	1	balar	1
avalentar	49	azafranar	1	balastar	1
avallar	1	azagar	7	balaustrar	1

balbucear	1	barranquear	1	bemolar	1
balbucir	62	barrar	1	**bendecir**	**88**
balcanizar	11	barrear	1	beneficiar	1
baldar	1	barrenar	1	berlingar	7
baldear	1	barrer	2	berrear	1
baldonar	1	barretear	1	besar	1
baldosar	1	barritar	1	bestializarse	11
balear	1	barruntar	1	besucar	4
balitar	1	bartolear	1	besuquear	1
balitear	1	bartular	1	bichar	1
balizar	11	bartulear	1	bichear	1
ballestear	1	barzonear	1	bieldar	1
balsear	1	basar	1	bienquerer	93
bambalear	1	bascular	1	bienquistar	1
bambanear	1	basquear	1	bienvivir	3
bambolear	1	bastantear	1	bifurcarse	4
bambonear	1	bastardear	1	bigardear	1
bancar	4	bastar	1	bigardonear	1
bandarse	1	bastear	1	bildar	1
bandear	1	bastillar	1	bilocarse	4
banderillear	1	bastillear	1	binar	1
banderizar	11	bastimentar	1	biodegradar	1
banquetear	1	bastionar	1	biografiar	18
bañar	1	bastonear	1	birlar	1
baquear	1	basurear	1	bisar	1
baquelizar	11	batallar	1	bisbisear	1
baquetear	1	batanar	1	bisecar	4
barajar	1	batanear	1	bisegmentar	1
barajear	1	batear	1	biselar	1
baratear	1	batir	3	bitar	1
barbarizar	11	batojar	1	bizcar	4
barbar	1	bautizar	11	bizcochar	1
barbear	1	bazucar	4	bizmar	1
barbechar	1	beatificar	4	bizquear	1
barbotar	1	beber	2	blandear	1
barbotear	1	beborrotear	1	blandir	24
barbullar	1	becar	4	blanquear	1
bardar	1	befar	1	blanquecer	61
baremar	1	bejuquear	1	blasfemar	1
barloar	1	beldar	49	blasonar	1
barloventear	1	bellaquear	1	blindar	1
barnizar	11	bellotear	1	blocar	4

blofear	1	boxear	1	burlar	1
bloquear	1	boyar	1	burocratizar	11
bobear	1	boycotear	1	burrajear	1
bobinar	1	bracear	1	buscar	4
bocear	1	bramar	1	buzar	11
bocelar	1	brandar	1		
bocetar	1	brasear	1		

bocezar	11	bravear	1		
bochar	1	bravocear	1	**C**	
bocinar	1	bravuconear	1		
bofarse	1	brear	1	cabalgar	7
bogar	7	bregar	7	cabalizar	11
boicotear	1	brescar	4	caballear	1
bojar	1	brezar	11	cabecear	1
bojear	1	bribonear	1	**caber**	**76**
bolacear	1	brillar	1	cabestrar	1
bolear	1	brincar	4	cabestrear	1
bollar	1	brindar	1	cabildear	1
bolsear	1	briscar	4	cablear	1
bolsiquear	1	brizar	11	cablegrafiar	18
bombardear	1	brollar	1	**cabrahigar**	**8**
bombear	1	bromar	1	cabrear	1
bonificar	4	bromear	1	cabrillear	1
boquear	1	broncear	1	cabriolar	1
boquetear	1	bronquear	1	cabriolear	1
borbollar	1	broquelarse	1	cacarear	1
borbollear	1	brotar	1	cacear	1
borbollonear	1	brozar	11	cacharpearse	1
borboritar	1	brujear	1	cachar	1
borbotar	1	brujir	3	cachear	1
borbotear	1	brujulear	1	cachetear	1
bordar	1	brumar	1	cachifollar	1
bordear	1	**bruñir**	**82**	cachipodar	1
bordonear	1	bruzar	11	cachondearse	1
bornear	1	bucear	1	cachuchear	1
borrachear	1	bufar	1	cachurear	1
borrajear	1	bufonearse	1	caciquear	1
borrar	1	buitrear	1	caducar	4
borronear	1	bullir	83	caduquear	1
bosquejar	1	burbujear	1	**caer**	**73**
bostezar	11	burear	1	cafetear	1
botar	1	burilar	1	cagar	7
				cairelar	1

calabacear	1	candar	1	carcajear	1
calafetear	1	canecerse	61	carcomer	2
calandrar	1	cangallar	1	cardar	1
calar	1	cangrenarse	1	carduzar	11
calaverear	1	canjear	1	carear	1
calcar	4	canonizar	11	**carecer**	**61**
calcetar	1	cansar	1	carenar	1
calcificar	4	cantalear	1	cargar	7
calcinar	1	cantaletear	1	cariar	1
calcografiar	18	**cantar**	**1**	caricaturar	1
calcular	1	cantear	1	caricaturizar	11
caldear	1	cantonar	1	carlear	1
calentar	49	cantonear	1	carmenar	1
calibrar	1	canturrear	1	carnear	1
calificar	4	canturriar	1	carnerear	1
caligrafiar	18	cañaverear	1	carnificarse	4
callar	1	cañonear	1	carochar	1
callear	1	capacitar	1	carpintear	1
callejear	1	capar	1	carpir	3
calmar	1	capear	1	carraspear	1
calofriarse	1	capialzar	11	carrerear	1
calumniar	1	capitalizar	11	carretear	1
calvar	1	capitanear	1	carrochar	1
calzar	11	capitular	1	carroñar	1
camandulear	1	caponar	1	carrozar	11
cambalachar	1	capotar	1	cartear	1
cambalachear	1	capotear	1	cartografiar	18
cambiar	1	capsular	1	casar	1
camelar	1	captar	1	cascabelear	1
caminar	1	capturar	1	cascamajar	1
camorrear	1	capujar	1	cascar	4
camotear	1	capuzar	11	caseificar	4
campanear	1	carabritear	1	castañetear	1
campanillear	1	caracolear	1	castellanizar	11
campar	1	caracterizar	11	castigar	7
campear	1	caramelizar	11	castrar	1
camuflar	1	caratular	1	catalizar	11
canalizar	11	carbonar	1	catalogar	7
cancanear	1	carbonatar	1	catapultar	1
cancelar	1	carbonear	1	catar	1
cancerar	1	carbonizar	11	catear	1
canchear	1	carburar	1	categorizar	11

catequizar	11	cepillar	1	chapear	1
catitear	1	cercar	4	chapetear	1
catolizar	11	cercenar	1	chapinizarse	11
catonizar	11	cerchar	1	chapodar	1
caucionar	1	cerciorar	1	chapotear	1
causar	1	cerdear	1	chapucear	1
causticar	4	cerner	53	chapurrar	1
cautelar	1	cernir	55	chapurrear	1
cauterizar	11	cerotear	1	chapuzar	11
cautivar	1	cerrar	49	chaquetear	1
cavar	1	cerrillar	1	charlar	1
cavilar	1	certificar	4	charlatanear	1
cazar	**11**	cesar	1	charlear	1
cazcalear	1	chacanear	1	charlotear	1
cazoletear	1	chacharear	1	charolar	1
cazumbrar	1	chacolotear	1	charranear	1
cazurrear	1	chacotear	1	charrar	1
cebadar	1	chafallar	1	chascar	4
cebar	1	chafarrinar	1	chasconear	1
cecear	1	chafar	1	chaspear	1
cecinar	1	chaflanar	1	chasquear	1
cedacear	1	chalanear	1	chatarrear	1
ceder	2	chalar	1	chatear	1
cegar	51	chamarilear	1	chayar	1
cejar	1	chamar	1	chazar	11
celar	1	chamelar	1	checar	4
celebrar	1	champar	1	chequear	1
cellisquear	1	champurrar	1	chicanear	1
cementar	1	chamullar	1	chicharrar	1
cenar	1	chamurrar	1	chicharrear	1
cencerrear	1	chamuscar	4	chichear	1
cendrar	1	chancar	4	chichinar	1
censar	1	chancear	1	chicolear	1
censurar	1	chancletear	1	chiflar	1
centellar	1	chanflear	1	chilinguear	1
centellear	1	changar	7	chillar	1
centonar	1	chantajear	1	chinar	1
centralizar	11	chantar	1	chinchar	1
centrar	1	chapalear	1	chinchinear	1
centrifugar	7	chapaletear	1	chinchorrear	1
centuplicar	4	chaparrear	1	chindar	1
ceñir	**35**	chapar	1	chinear	1

chingar	7	chungarse	7	ciscar	4
chinglar	1	chunguearse	1	citar	1
chiquear	1	chupar	1	civilizar	11
chiquitear	1	chuperretear	1	cizallar	1
chirigotear	1	chupetear	1	cizañar	1
chiripear	1	churrascar	4	cizañear	1
chirlar	1	churrasquear	1	clamar	1
chirrear	1	churrearse	1	clamorear	1
chirriar	18	churritar	1	clarear	1
chiscar	4	churruscar	4	clarecer	61
chismar	1	chusmear	1	clarificar	4
chismear	1	chutar	1	clasificar	4
chismorrear	1	chuzar	11	claudicar	4
chismotear	1	ciabogar	1	clausular	1
chisparse	1	ciar	18	clausurar	1
chispear	1	cicatear	1	clavar	1
chisporrotear	1	cicatrizar	11	clavetear	1
chistar	1	ciclar	1	clicar	1
chitar	1	ciclostilar	1	climatizar	11
chivarse	1	cifrar	1	clisar	1
chivatear	1	cilindrar	1	clisterizar	11
chocarrear	1	cimbrar	1	clocar	42
chocar	4	cimbrear	1	clonar	1
chochear	1	cimentar	49	cloquear	1
choclar	1	cincelar	1	clorar	1
chollar	1	cinchar	1	cloroformizar	11
chorar	1	cincunvalar	1	clorurar	1
chorear	1	cinematografiar	18	coaccionar	1
chorizar	11	cinescopar	1	coacervar	1
chorrear	1	cinglar	1	coadquirir	54
chospar	1	cintarear	1	coadunar	1
chotearse	1	cintar	1	coadyuvar	1
chozpar	1	cintilar	1	coagular	1
chubasquear	1	circuir	70	coaligar	7
chuchear	1	circular	1	coartar	1
chuchurrir	3	circuncidar	1	cobaltar	1
chufar	1	circundar	1	cobardear	1
chuflarse	1	circunferir	56	cobijar	1
chufletear	1	circunnavegar	7	cobrar	1
chulear	1	circunscribir	3	cobrear	1
chuletear	1	circunstanciar	1	cocear	1
chumarse	1	circunvolar	36	cocer	45

cochear	1	colmatar	1	compeler	2
cocinar	1	colocar	4	compendiar	1
codear	1	colonizar	11	compenetrarse	1
codiciar	1	colorar	1	compensar	1
codificar	4	colorear	1	competer	2
codirigir	16	colorir	24	competir	32
coercer	13	coludir	3	compilar	1
coexistir	3	columbrar	1	complacer	61
coextenderse	53	columpiar	1	complementar	1
coger	15	comadrear	1	completar	1
cogestionar	1	comandar	1	complicar	4
cogitar	1	comanditar	1	complotar	1
cohabitar	1	comarcar	4	componer	66
cohechar	1	combalacharse	1	comportar	1
coheredar	1	combar	1	comprar	1
cohibir	22	combatir	3	comprehender	2
cohobar	1	combinar	1	comprender	2
cohonestar	1	comedirse	32	comprimir	3
coimear	1	comentar	1	comprobar	36
coincidir	3	comenzar	50	comprometer	2
coitar	1	comercializar	11	compulsar	1
cojear	1	comerciar	1	compungir	16
colaborar	1	comer	2	compurgar	7
colacionar	1	cometer	2	computadorizar	11
colapsar	1	cominear	1	computar	1
colar	36	comiquear	1	computerizar	11
colchar	1	comisar	1	comulgar	7
colear	1	comiscar	4	comunicar	4
coleccionar	1	comisionar	1	concadenar	1
colectar	1	comisquear	1	concatenar	1
colectivizar	11	compactar	1	concebir	32
colegiar	1	compadecer	61	conceder	2
colegir	33	compadrar	1	concelebrar	1
colgar	**40**	compadrear	1	concentrar	1
colicuar	1	compaginar	1	conceptualizar	11
colicuecer	61	comparar	1	conceptuar	19
colidir	3	comparecer	61	concernir	55
coligar	7	compartimentar	1	concertar	49
colimar	1	compartir	3	conchabar	1
colindar	1	compasar	1	concienciar	1
colisionar	1	compasear	1	conciliar	1
colmar	1	compatibilizar	11	concitar	1

concluir	70	confricar	4	consonar	36
concomerse	2	confrontar	1	conspirar	1
concomitar	1	confundir	3	constar	1
concordar	36	confutar	1	constatar	1
concrecionar	1	congelar	1	consternar	1
concretar	1	congeniar	1	constipar	1
concretizar	11	congestionar	1	constituir	70
conculcar	4	conglobar	1	constreñir	35
concurrir	3	conglomerar	1	construir	70
concursar	1	conglutinar	1	consultar	1
condecir	89	congojar	1	consumar	1
condecorar	1	congraciar	1	consumir	3
condenar	1	congratular	1	contabilizar	11
condensar	1	congregar	7	contactar	1
condescender	53	conjeturar	1	contagiar	1
condicionar	1	conjugar	7	contaminar	1
condimentar	1	conjuntar	1	**contar**	**36**
condolecerse	61	conjurar	1	contemperar	1
condolerse	43	conllevar	1	contemplar	1
condonar	1	conllorar	1	contemporizar	11
conducir	**86**	conmemorar	1	contender	53
conectar	1	conmensurar	1	contener	95
conexionar	1	conminar	1	contentar	1
confabularse	1	conmocionar	1	contestar	1
confeccionar	1	conmover	43	contextuar	19
confederar	1	conmutar	1	contingentar	1
conferenciar	1	connaturalizar	11	continuar	19
conferir	56	connotar	1	contonearse	1
confesar	49	conocer	61	contorcerse	45
confiar	18	conquistar	1	contornar	1
configurar	1	conrear	1	contornear	1
confinar	1	consagrar	1	contorsionarse	1
confingir	16	conseguir	34	contraatacar	4
confirmar	1	consensuar	19	contrabalancear	1
confiscar	4	consentir	56	contrabandear	1
confitar	1	conservar	1	contrabatir	3
conflagrar	1	considerar	1	contrabracear	1
confluir	70	consignar	1	contrachapar	1
conformar	1	consistir	3	contrachapear	1
confortar	1	consolar	36	contradecir	89
confraternar	1	consolidar	1	contraendosar	1
confraternizar	11	consonantizar	11	contraer	72

contrafallar	1	convocar	4	corsear	1
contrafirmar	1	convoyar	1	cortar	1
contrahacer	77	convulsionar	1	cortejar	1
contraindicar	4	coñearse	1	cortisquear	1
contramallar	1	cooperar	1	coruscar	4
contramandar	1	cooptar	1	corvetear	1
contramarcar	4	coordinar	1	coscarse	4
contramarchar	1	copar	1	cosechar	1
contraminar	1	copear	1	coser	2
contrapasar	1	copelar	1	cosificar	4
contrapear	1	copiar	1	cosquillar	1
contrapechar	1	copilar	1	cosquillear	1
contrapesar	1	copilotar	1	costalearse	1
contraponer	66	coplear	1	costar	36
contraprogramar	1	copresidir	3	costear	1
contrapuntear	1	coproducir	86	cotejar	1
contrapunzar	11	copular	1	cotillear	1
contrariar	18	coquetear	1	cotizar	11
contrarrestar	1	coquizar	11	cotorrear	1
contraseñar	1	corchar	1	craquear	1
contrastar	1	corcovar	1	crascitar	1
contratar	1	corcovear	1	crear	1
contratipar	1	corcusir	3	crecer	61
contravalar	1	cordelar	1	creer	17
contravenir	96	corear	1	crenchar	1
contribuir	70	coreografiar	18	creosotar	1
contristar	1	corlar	1	crepar	1
controlar	1	corlear	1	crepitar	1
controvertir	56	cornear	1	criar	18
contundir	3	coronar	1	cribar	1
conturbar	1	corporeizar	11	criminar	1
contusionar	1	corporificar	4	crinar	1
convalecer	61	correar	1	criogenizar	11
convalidar	1	corregir	33	crisolar	1
convencer	13	correlacionar	1	crispar	1
convenir	96	correr	2	cristalizar	11
converger	15	corresponder	2	cristianar	1
convergir	16	corretear	1	cristianizar	11
conversar	1	corroborar	1	criticar	4
convertir	56	corroer	69	critiquizar	11
convidar	1	corromper	2	croar	1
convivir	3	corrugar	7	crocitar	1

cromar	1	culminar	1	debelar	1
cromolitografiar	18	culpabilizar	11	deber	2
cronometrar	1	culpar	1	debilitar	1
croscitar	1	cultiparlar	1	debitar	1
crotorar	1	cultivar	1	debocar	4
crucificar	4	culturar	1	debutar	1
crujir	3	culturizar	11	decaer	73
cruzar	11	cumplimentar	1	decalvar	1
cuadrar	1	cumplir	3	decampar	1
cuadricular	1	cumular	1	decantar	1
cuadriplicar	4	cunar	1	decapar	1
cuadruplicar	4	cundir	3	decapitar	1
cuajar	1	cunear	1	decelerar	1
cualificar	4	curar	1	decentar	49
cuantiar	18	curiosear	1	decepcionar	1
cuantificar	4	currar	1	decidir	3
cuartar	1	currelar	1	decimalizar	11
cuartear	1	cursar	1	**decir**	**87**
cuartelar	1	curtir	3	declamar	1
cuatrodoblar	1	curucutear	1	declarar	1
cuatropear	1	curvar	1	declinar	1
cubanizar	11	curvear	1	decodificar	4
cubicar	4	cuscurrear	1	decolorar	1
cubijar	1	cusir	3	decomisar	1
cubilar	1	custodiar	1	decorar	1
cubiletear	1	cutir	3	decorticar	4
cubrir	26			decrecer	61
cucar	4			decrepitar	1
cucharear	1	**D**		decretar	1
cucharetear	1			decuplicar	4
cuchichear	1	dactilografiar	18	dedicar	4
cuchichiar	18	daguerrotipar	1	dedolar	36
cuchuchear	1	dallar	1	deducir	86
cuchufletear	1	damasquinar	1	defalcar	4
cuculistearse	1	damnificar	4	defecar	4
cuentear	1	danzar	11	defeccionar	1
cuerear	1	dañar	1	defender	53
cuerpear	1	**dar**	**75**	defenestrar	1
cuestionar	1	datar	1	deferir	56
cuidar	1	davalar	1	definir	3
culear	1	deambular	1	deflacionar	1
culebrear	1	debatir	3	deflagrar	1

deflegmar	1	denigrar	1	derrotar	1
defoliar	1	denodarse	1	derrubiar	1
deforestar	1	denominar	1	derruir	70
deformar	1	denostar	36	derrumbar	1
defraudar	1	denotar	1	desabarrancar	4
degenerar	1	densificar	4	desabastecer	61
deglutir	3	dentalizar	11	desabejar	1
degollar	36	dentar	49	desabollar	1
degradar	1	dentellar	1	desabonarse	1
degustar	1	dentellear	1	desabordarse	1
dehesar	1	denudar	1	desabotonar	1
deificar	4	denunciar	1	desabrigar	7
dejar	1	deparar	1	desabrir	24
delatar	1	departir	3	desabrochar	1
delegar	7	depauperar	1	desacalorarse	1
deleitar	1	depauperizar	11	desacantonar	1
deletrear	1	depender	2	desacatar	1
deleznarse	1	depilar	1	desacedar	1
deliberar	1	deplorar	1	desaceitar	1
delimitar	1	deponer	66	desacelerar	1
delinear	1	deportar	1	desacerar	1
delinquir	6	depositar	1	desacerbar	1
delirar	1	depravar	1	desacertar	49
deludir	3	deprecar	4	desachispar	1
demacrar	1	depreciar	1	desacidificar	4
demandar	1	depredar	1	desaclimatar	1
demarcar	4	deprimir	3	desacobardar	1
demarrar	1	depurar	1	desacomodar	1
demasiarse	18	deputar	1	desacompañar	1
demediar	1	derechizar	11	desaconsejar	1
dementar	49	derivar	1	desacoplar	1
democratizar	11	derogar	7	desacordar	36
demodular	1	derrabar	1	desacorralar	1
demoler	43	derramar	1	desacostumbrar	1
demonizar	11	derrapar	1	desacotar	1
demorar	1	derrelinquir	6	desacralizar	11
demostrar	36	derrenegar	51	desacreditar	1
demudar	1	derrengar	7	desactivar	1
denegar	51	derretir	32	desacuartelar	1
denegrecer	61	derribar	1	desaderezar	11
denegrir	24	derrocar	4	desadeudar	1
denguear	1	derrochar	1	desadorar	1

desadormecer	61	desalivar	1	desaplicar	4
desadornar	1	desalmar	1	desaplomar	1
desadujar	1	desalmenar	1	desapoderar	1
desadvertir	56	desalmidonar	1	desapolillar	1
desafectar	1	desalojar	1	desaporcar	42
desaferrar	49	desalquilar	1	desaposentar	1
desafiar	18	desalterar	1	desapoyar	1
desaficionar	1	desamarrar	1	desapreciar	1
desafilar	1	desamartelar	1	desaprender	2
desafinar	1	desambientar	1	desaprestar	1
desaforar	36	desambiguar	1	desapretar	49
desaforrar	1	desamistarse	1	desaprisionar	1
desagarrar	1	desamoblar	36	desaprobar	36
desagraciar	1	desamoldar	1	desapropiar	1
desagradar	1	desamontonar	1	desaprovechar	1
desagradecer	61	desamorar	1	desapuntalar	1
desagraviar	1	desamorrar	1	desapuntar	1
desagregar	7	desamortizar	11	desarbolar	1
desaguar	9	desamotinarse	1	desarenar	1
desaguazar	11	desamparar	1	desargentar	1
desaherrojar	1	desamueblar	1	desarmar	1
desahijar	20	desamurar	1	desarmonizar	11
desahitarse	20	desanclar	1	desaromatizar	11
desahogar	7	desancorar	1	desarraigar	7
desahuciar	1	desandar	85	desarrancarse	4
desahumar	21	desangrar	1	desarrebozar	11
desainar	1	desanidar	1	desarrebujar	1
desairar	20	desanimar	1	desarreglar	1
desaislarse	20	desanublar	1	desarrendar	49
desajustar	1	desanudar	1	desarrimar	1
desalabar	1	desaojar	1	desarrinconar	1
desalabear	1	desapadrinar	1	desarrollar	1
desalagar	7	desapañar	1	desarropar	1
desalar	1	desaparear	1	desarrugar	7
desalbardar	1	desaparecer	61	desarrumar	1
desalentar	49	desaparejar	1	desarticular	1
desalfombrar	1	desaparroquiar	1	desartillar	1
desalforjar	1	desapartar	1	desarzonar	1
desalhajar	1	desapasionar	1	desasear	1
desalinear	1	desapegar	7	desasegurar	1
desalinizar	11	desapestar	1	desasimilar	1
desaliñar	1	desapiolar	36	desasir	67

desasistir	3	desbalagar	7	descabezar	11
desasnar	1	desbancar	4	descabritar	1
desasociar	1	desbandarse	1	descabullirse	83
desasosegar	49	desbarajustar	1	descachalandrarse	1
desastillar	1	desbaratar	1	descacharrar	1
desatacar	4	desbarbar	1	descachar	1
desatancar	4	desbarbillar	1	descacilar	1
desatar	1	desbardar	1	descaderar	1
desatascar	4	desbarnizar	11	descadillar	1
desataviar	18	desbarrar	1	descaer	73
desatender	53	desbarretar	1	descafeinar	20
desatentar	49	desbarrigar	7	descafilar	1
desaterrar	49	desbastar	1	descalabazarse	11
desatesorar	1	desbautizarse	11	descalabrar	1
desatestarse	1	desbeber	2	descalcar	4
desatibar	1	desbecerrar	1	descalcificar	4
desatinar	1	desbloquear	1	descalificar	4
desatollar	1	desbocar	4	descalzar	11
desatolondrar	1	desbonetarse	1	descamar	1
desatontarse	1	desboquillar	1	descambiar	1
desatorar	1	desbordar	1	descaminar	1
desatornillar	1	desbornizar	11	descampar	1
desatracar	4	desboronar	1	descangallar	1
desatraillar	20	desborrar	1	descangayar	1
desatrampar	1	desboscar	4	descansar	1
desatrancar	4	desbotonar	1	descantar	1
desatufarse	1	desbravar	1	descantear	1
desaturdir	3	desbravecer	61	descanterar	1
desautorizar	11	desbrazarse	1	descantillar	1
desavahar	1	desbrevarse	1	descantonar	1
desavecindarse	1	desbridar	1	descañar	1
desavenir	96	desbriznar	1	descañonar	1
desaviar	18	desbrozar	11	descaperuzar	11
desavisar	1	desbruar	19	descapirotar	1
desayudar	1	desbrujar	1	descapitalizar	11
desayunar	1	desbuchar	1	descapotar	1
desayustar	1	desbullar	1	descapullar	1
desazogar	7	desburocratizar	11	descarapelar	1
desazonar	1	descabalar	1	descararse	1
desazufrar	1	descabalgar	7	descarbonatar	1
desbabar	1	descabellar	1	descarburar	1
desbagar	7	descabestrar	1	descarcañalar	1

descargar	7	descobijar	1	desconsiderar	1
descarnar	1	descocar	4	desconsolar	36
descarozar	11	descodificar	4	descontagiar	1
descarriar	18	descoger	15	descontaminar	1
descarrilar	1	descogollar	1	descontar	36
descarrillar	1	descogotar	1	descontentar	1
descartar	1	descohesionar	1	descontextualizar	11
descasar	1	descojonar	1	descontinuar	19
descascarar	1	descolar	1	descontrolar	1
descascarillar	1	descolchar	1	desconvenir	96
descascar	4	descolgar	40	desconvidar	1
descaspar	1	descollar	36	desconvocar	4
descastar	1	descolmar	1	descorazonar	1
descatolizar	11	descolmillar	1	descorchar	1
descebar	1	descolocar	4	descordar	36
descender	53	descolonizar	11	descorderar	1
descentralizar	11	descolorar	1	descoritar	1
descentrar	1	descolorir	24	descornar	36
desceñir	35	descombrar	1	descoronar	1
descepar	1	descomedirse	32	descorrear	1
descerar	1	descomer	2	descorrer	2
descercar	4	descompadrar	1	descortezar	11
descerebelarse	1	descompaginar	1	descortinar	1
descerebrar	1	descompasar	1	descoser	2
descerezar	11	descompensar	1	descostillar	1
descerrajar	1	descomponer	66	descostrar	1
descerrumarse	1	descomprimir	3	descotar	1
descervigar	7	descomulgar	7	descoyuntar	1
deschapar	1	desconcentrar	1	descrecer	61
descharchar	1	desconceptuar	19	descreer	17
deschavetarse	1	desconcertar	49	descremar	1
deschuponar	1	desconchabar	1	descrestar	1
descifrar	1	desconchar	1	describir	28
descimbrar	1	descondicionar	1	descrismar	1
descimentar	49	desconectar	1	descristianar	1
descinchar	1	desconfiar	18	descristianizar	11
descintrar	1	desconformar	1	descrudecer	2
desclasarse	1	descongelar	1	descruzar	11
desclavar	1	descongestionar	1	descuadernar	1
desclavijar	1	descongojar	1	descuadrillarse	1
descoagular	1	desconocer	61	descuajaringar	7
descobajar	1	desconsentir	56	descuajar	1

descuajeringar	1	desemborrachar	1	desencabalgar	7
descuartizar	11	desemboscarse	4	desencabestrar	1
descubrir	3	desembotar	1	desencadenar	1
descuerar	1	desembozar	11	desencajar	1
descuernar	1	desembragar	7	desencajonar	1
descuidar	1	desembravecer	61	desencalabrinar	1
descular	1	desembrazar	11	desencalcar	4
desculatarse	1	desembriagar	7	desencallar	1
descurtir	3	desembridar	1	desencaminar	1
desdar	75	desembrollar	1	desencantarar	1
desdecir	89	desembrozar	11	desencantar	1
desdeñar	1	desembrujar	1	desencapillar	1
desdevanar	1	desembuchar	1	desencapotar	1
desdibujar	1	desemejar	1	desencaprichar	1
desdinerar	1	desempacar	4	desencarcelar	1
desdoblar	1	desempachar	1	desencargar	7
desdorar	1	desempadronar	1	desencarnar	1
desdramatizar	11	desempalagar	7	desencarpetar	1
desear	1	desempalmar	1	desencartonar	1
desecar	4	desempañar	1	desencastillar	1
desechar	1	desempapelar	1	desencerrar	49
desedificar	4	desempaquetar	1	desenchuecar	1
deseducar	4	desemparejar	1	desenchufar	1
deselectrizar	11	desemparvar	1	desencintar	1
desellar	1	desempastar	1	desenclavar	1
desembalar	1	desempastelar	1	desenclavijar	1
desembaldosar	1	desempatar	1	desencobrar	1
desemballestar	1	desempavonar	1	desencochar	1
desembalsar	1	desempedrar	49	desencofrar	1
desembanastar	1	desempegar	7	desencoger	15
desembarazar	11	desempeñar	1	desencolar	1
desembarcar	4	desemperezar	11	desencolerizar	11
desembargar	7	desempernar	1	desenconar	1
desembarrancar	4	desempolvar	1	desencordar	36
desembarrar	1	desemponzoñar	1	desencordelar	1
desembaular	21	desempotrar	1	desencorvar	1
desembebe-		desempozar	11	desencovar	36
cerse	61	desempuñar	1	desencrespar	1
desembelesarse	1	desemulsionar	1	desencrudecer	2
desembocar	4	desenalbardar	1	desencuadernar	1
desembojar	1	desenamorar	1	desencubar	1
desembolsar	1	desenastar	1	desendemoniar	1

desendiablar	1	desenrizar	11	desespañolizar	11
desendiosar	1	desenrollar	1	desesperanzar	11
desenfadar	1	desenroscar	4	desesperar	1
desenfaldar	1	desenrudecer	61	desestabilizar	11
desenfardar	1	desensamblar	1	desestancar	4
desenfilar	1	desensañar	1	desestañar	1
desenfocar	4	desensartar	1	desesterar	1
desenfrailar	1	desensebar	1	desestibar	1
desenfrenar	1	desenseñar	1	desestimar	1
desenfundar	1	desensillar	1	desestructurar	1
desenfurecer	61	desensober-		desfajar	1
desenfurruñar	1	becer	61	desfalcar	4
desenganchar	1	desentablar	1	desfallecer	61
desengañar	1	desentalingar	7	desfasar	1
desengañilar	1	desentarimar	1	desfavorecer	61
desengarzar	11	desentenderse	53	desfibrar	1
desengastar	1	desenterrar	49	desfigurar	1
desengomar	1	desentoldar	1	desfilachar	1
desengoznar	1	desentonar	1	desfilar	1
desengranar	1	desentornillar	1	desflecar	4
desengrasar	1	desentorpecer	61	desflemar	1
desengrilletar	1	desentrampar	1	desflorar	1
desengrosar	1	desentrañar	1	desfogar	7
desengrudar	1	desentrenar	1	desfogonar	1
desenguantarse	1	desentronizar	11	desfollonar	1
desenhebrar	1	desentubar	1	desfondar	1
desenhornar	1	desentumecer	61	desforestar	1
desenjaezar	11	desenvainar	1	desformar	1
desenjalmar	1	desenvelejar	1	desforrar	1
desenjaular	1	desenvendar	1	desfortalecer	61
desenladrillar	1	desenvergar	7	desfortificar	4
desenlazar	11	desenviolar	1	desfosfatar	1
desenlodar	1	desenvolver	46	desfosforar	1
desenlosar	1	desenzarzar	11	desfruncir	14
desenlutar	1	desenzolvar	1	desgajar	1
desenmallar	1	desequilibrar	1	desgalgar	7
desenmarañar	1	desertar	1	desgalillarse	1
desenmascarar	1	desertizar	11	desgalonar	1
desenmohecer	61	desescombrar	1	desganar	1
desenmudecer	61	desescoriar	1	desganchar	1
desenojar	1	deseslabonar	1	desgañifarse	1
desenredar	1	desespaldar	1	desgañitarse	1

desgargantarse	1	deshijar	1	desinsertar	1
desgargolar	1	deshilachar	1	desintegrar	1
desgaritar	1	deshilar	1	desinteresarse	1
desgarrar	1	deshilvanar	1	desintoxicar	4
desgasificar	4	deshincar	4	desinvernar	49
desgasolinar	1	deshinchar	1	desiquiatrizar	11
desgastar	1	deshipotecar	4	desistir	3
desgatar	1	deshojar	1	desjarretar	1
desgaznatarse	1	deshollejar	1	desjugar	7
desglosar	1	deshollinar	1	desjuntar	1
desgobernar	49	deshonestarse	1	deslabonar	1
desgomar	1	deshonorar	1	desladrillar	1
desgonzar	1	deshonrar	1	deslamar	1
desgorrarse	1	deshornar	1	deslanar	1
desgoznar	1	deshuesar	1	deslastrar	1
desgraciar	1	deshuevarse	1	deslatar	1
desgramar	1	deshumanizar	11	deslateralizar	11
desgranar	1	deshumedecer	61	deslavar	1
desgranzar	11	deshumidificar	4	deslavazar	11
desgrasar	1	designar	1	deslazar	11
desgravar	1	desigualar	1	deslechugar	7
desgreñar	1	desilusionar	1	deslegalizar	11
desguarnecer	61	desimaginar	1	deslegitimar	1
desguarnir	24	desimanar	1	desleír	80
desguazar	11	desimantar	1	deslendrar	49
desguindar	1	desimponer	66	deslenguar	9
desguinzar	11	desimpresionar	1	desliar	18
deshabitar	1	desincentivar	1	desligar	7
deshabituar	19	desinclinar	1	deslindar	1
deshacer	77	desincorporar	1	desliñar	1
deshalogenar	1	desincronizar	11	deslizar	11
deshebillar	1	desincrustar	1	desloar	1
deshebrar	1	desindexar	1	deslomar	1
deshechizar	11	desindustrializar	11	deslucir	62
deshelar	49	desinfartar	1	deslumbrar	1
desherbar	49	desinfectar	1	deslustrar	1
desheredar	1	desinflamar	1	desmadejar	1
deshermanar	1	desinflar	1	desmadrar	1
desherrar	49	desinformar	1	desmagnetizar	11
desherrumbrar	1	desinhibir	3	desmajolar	36
deshidratar	1	desinsacular	1	desmalezar	11
deshidrogenar	1	desinsectar	1	desmallar	1

desmamar	1	desmontar	1	desoprimir	3
desmamonar	1	desmoñar	1	desorbitar	1
desmanarse	1	desmoralizar	11	desordenar	1
desmanchar	1	desmorecerse	61	desorejar	1
desmandar	1	desmoronar	1	desorganizar	11
desmanear	1	desmostarse	1	desorientar	1
desmangar	7	desmotar	1	desorillar	1
desmantecar	4	desmotivar	1	desornamentar	1
desmantelar	1	desmovilizar	11	desortijar	1
desmañanarse	1	desmugrar	1	**desosar**	**37**
desmaquillar	1	desmullir	83	desosegar	7
desmarañar	1	desmultiplicar	4	desovar	1
desmarcar	4	desnacionalizar	11	desovillar	1
desmarojar	1	desnarigar	7	desoxidar	1
desmasificar	1	desnatar	1	desoxigenar	1
desmatar	1	desnaturalizar	11	despabilar	1
desmayar	1	desnegar	51	despachar	1
desmedirse	32	desnervar	1	despachurrar	1
desmedrar	1	desnevar	49	despajar	1
desmejorar	1	desnicotizar	11	despaldar	1
desmelancolizar	11	desnitrificar	4	despaldillar	1
desmelar	49	desnivelar	1	despaletillar	1
desmelenar	1	desnortarse	1	despalillar	1
desmembrar	49	desnucar	4	despalmar	1
desmemoriarse	1	desnuclearizar	11	despampanar	1
desmenguar	9	desnudar	1	despampanillar	1
desmentir	56	desnutrirse	3	despamplonar	1
desmenuzar	11	desobedecer	61	despancar	4
desmeollar	1	desobstruir	70	despanchurrar	1
desmerecer	61	desocupar	1	despanzurrar	1
desmesurar	1	desodorar	1	despapar	1
desmigajar	1	desodorizar	11	desparasitar	1
desmigar	7	desoír	68	desparedar	1
desmilitarizar	11	desojar	1	desparejar	1
desmineralizarse	11	desolar	36	desparpajar	1
desmitificar	4	desolazar	11	desparramar	1
desmochar	1	desoldar	36	desparrancarse	4
desmogar	7	desolidarizarse	11	despartir	3
desmoldar	1	desollar	36	desparvar	1
desmoler	43	desonzar	11	despasar	1
desmonetizar	11	desopilar	1	despatarrar	1
desmonopolizar	11	desopinar	1	despatillar	1

despavesar	1	despiezar	11	despresurizar	11
despavonar	1	despilarar	1	desprivatizar	11
despavorir	24	despilfarrar	1	desprogramar	1
despearse	1	despimpollar	1	desproporcionar	1
despechar	1	despinochar	1	desproveer	30
despechugar	7	despintar	1	despulmonarse	1
despedazar	11	despinzar	11	despulpar	1
despedir	32	despiojar	1	despulsar	1
despedrar	49	despistar	1	despumar	1
despedregar	7	desplacer	61	despuntar	1
despegar	7	desplanchar	1	desquejar	1
despeinar	1	desplantar	1	desquerer	93
despejar	1	desplatar	1	desquiciar	1
despellejar	1	desplatear	1	desquijarar	1
despelotar	1	desplayar	1	desquijerar	1
despelucar	4	desplazar	11	desquitar	1
despeluzar	11	desplegar	51	desrabotar	1
despeluznar	1	despleguetear	1	desraizar	12
despenalizar	11	desplomar	1	desramar	1
despenar	1	desplumar	1	desraspar	1
despender	2	despoblar	36	desrastrojar	1
despendolar	1	despoetizar	11	desratizar	11
despenolar	1	despojar	1	desrayar	1
despeñar	1	despolarizar	11	desreglar	1
despepitar	1	despolitizar	11	desrelingar	7
despercudir	3	despolvar	1	desrielar	1
desperdiciar	1	despolvorear	1	desriñonar	1
desperdigar	7	despopularizar	11	desrizar	11
desperecerse	61	desporrondin-		desroblar	1
desperezarse	11	garse	7	desrodrigar	7
desperfilar	1	desportillar	1	destacar	4
despernancarse	4	desposar	1	destachonar	1
despernar	49	desposeer	17	destaconar	1
despersonalizar	11	despostar	1	destajar	1
despertar	49	despostillar	1	destallar	1
despescar	4	despotizar	11	destalonar	1
despestañar	1	despotricar	4	destapar	1
despezar	50	despreciar	1	destapiar	1
despezonar	1	desprender	2	destaponar	1
despezuñarse	1	despreocuparse	1	destarar	1
despicar	4	despresar	1	destazar	11
despichar	1	desprestigiar	1	destechar	1

destejar	1	desuncir	14	detallar	1
destejer	2	desunir	3	detectar	1
destellar	1	desuñar	1	detener	95
destemplar	1	desurbanizar	11	detentar	1
destensar	1	desurcar	4	deterger	15
desteñir	35	desurdir	3	deteriorar	1
desternillarse	1	desusar	1	determinar	1
desterrar	49	desustanciar	1	detestar	1
desterronar	1	desvahar	1	detonar	1
destetar	1	desvainar	1	detraer	72
destetillar	1	desvaírse	25	deturpar	1
destilar	1	desvalijar	1	devalar	1
destinar	1	desvalorar	1	devaluar	19
destituir	70	desvalorizar	11	devanar	1
destocar	4	desvanecer	61	devanear	1
destoconar	1	desvarar	1	devastar	1
destorcer	45	desvariar	18	develar	1
destorgar	7	desvastigar	7	devengar	7
destornillar	1	desvedar	1	devenir	96
destorpar	1	desvelar	1	devolver	46
destoserse	2	desvenar	1	devorar	1
destrabar	1	desvencijar	1	dezmar	49
destramar	1	desvendar	1	diablear	1
destrejar	1	desventar	49	diaconar	1
destrempar	1	desvergonzarse	39	diafanizar	11
destrenzar	11	desvestir	32	diafragmar	1
destrincar	4	desviar	18	diagnosticar	4
destripar	1	desviejar	1	diagramar	1
destriunfar	1	desvincular	1	dializar	11
destrizar	11	desvirar	1	dialogar	7
destrocar	42	desvirgar	7	diamantar	1
destronar	1	desvirtuar	19	diazoar	1
destroncar	4	desvitrificar	4	dibujar	1
destrozar	11	desvivirse	3	dictaminar	1
destruir	70	desvolver	46	dictar	1
destusar	1	desyemar	1	dietar	1
desubicar	4	desyerbar	1	diezmar	1
desubstanciar	1	desyugar	7	difamar	1
desucar	4	deszafrar	1	diferenciar	1
desudar	1	deszocar	4	diferir	56
desuerar	1	deszulacar	4	dificultar	1
desulfurar	1	deszumar	1	difluir	70

difractar	1	diseminar	1	divinizar	11
difuminar	1	disentir	56	divisar	1
difundir	3	diseñar	1	divorciar	1
digerir	56	disertar	1	divulgar	7
digitalizar	11	disfamar	1	dobladillar	1
dignarse	1	disformar	1	doblar	1
dignificar	4	disfrazar	11	doblegar	7
dilacerar	1	disfrutar	1	docilitar	1
dilapidar	1	disfumar	1	doctorar	1
dilatar	1	disgregar	7	doctrinar	1
diligenciar	1	disgustar	1	documentar	1
dilucidar	1	disidir	3	dogmatizar	11
diluir	70	disimilar	1	dolar	36
diluviar	1	disimular	1	doler	43
dimanar	1	disipar	1	domar	1
dimensionar	1	dislacerar	1	domeñar	1
diminuir	70	dislocar	4	domesticar	4
dimitir	3	disminuir	70	domiciliar	1
dinamitar	1	disociar	1	dominar	1
dinamizar	11	disolver	46	donar	1
dintelar	1	disonar	36	doñear	1
diñar	1	disparar	1	dopar	1
diplomar	1	disparatar	1	dorar	1
diptongar	7	dispensar	1	**dormir**	**47**
diputar	1	dispersar	1	dormitar	1
diquelar	1	displacer	61	dosificar	4
dirigir	**16**	disponer	66	dotar	1
dirimir	3	disputar	1	dovelar	1
discantar	1	distanciar	1	dragar	7
discernir	**55**	distar	1	dragonear	1
disciplinar	1	distender	53	dramatizar	11
discontinuar	19	**distinguir**	**10**	drapear	1
disconvenir	96	distorsionar	1	drenar	1
discordar	36	distraer	72	driblar	1
discrepar	1	distribuir	70	drogar	7
discretear	1	disturbar	1	dropar	1
discriminar	1	disuadir	3	duchar	1
disculpar	1	divagar	7	dudar	1
discurrir	3	divergir	16	dulcificar	4
discursear	1	diversificar	4	dulzurar	1
discutir	3	divertir	56	duplicar	4
disecar	4	dividir	3	durar	1

E

echacorvear	1
echar	1
eclesiastizar	11
eclipsar	1
ecologizar	11
economizar	11
ecualizar	11
edificar	4
editar	1
edrar	1
educar	4
educir	86
edulcorar	1
efectuar	19
efigiar	1
eflorecerse	61
efluir	70
efundir	3
egresar	1
ejecutar	1
ejecutoriar	18
ejemplarizar	11
ejemplar	1
ejemplificar	4
ejercer	13
ejercitar	1
elaborar	1
electrificar	4
electrizar	11
electrocutar	1
electrolizar	11
elegantizar	11
elegir	33
elevar	1
elidir	3
elijar	1
eliminar	1
elogiar	1
elucidar	1
elucubrar	1

eludir	3
emanar	1
emancipar	1
emascular	1
embachar	1
embadurnar	1
embaír	**25**
embalar	1
embaldosar	1
emballenar	1
emballestarse	1
embalsamar	1
embalsar	1
embalumar	1
embanastar	1
embancarse	4
embanderar	1
embanquetar	1
embarazar	11
embarbar	1
embarbascar	4
embarbecer	61
embarbillar	1
embarcar	4
embardar	1
embargar	7
embarnizar	11
embarrancar	4
embarrar	1
embarriar	1
embarrilar	1
embarrizarse	11
embarrotar	1
embarullar	1
embastar	1
embastecer	61
embaucar	4
embaular	21
embazar	11
embebecer	61
embeber	2
embejucar	4

embelecar	4
embeleñar	1
embelesar	1
embellaquecerse	61
embellecer	61
embeodar	1
embermejecer	61
emberrincharse	1
embestir	32
embetunar	1
embicar	4
embijar	1
embizcar	4
emblandecer	61
emblanquecer	61
embobar	1
embobecer	61
embocar	4
embochinchar	1
embodegar	7
embojar	1
embolar	1
embolatar	1
embolismar	1
embolsar	1
embonar	1
emboñigar	7
emboquillar	1
emborrachar	1
emborrar	1
emborrascar	4
emborrazar	11
emborricarse	4
emborrizar	11
emborronar	1
emborrullarse	1
emborucarse	1
emboscar	4
embosquecer	61
embostar	1
embotar	1
embotellar	1

emboticar	4	empalidecer	61	empeguntar	1
embotijar	1	empalizar	11	empelar	1
embovedar	1	empalmar	1	empelazgarse	7
embozalar	1	empalomar	1	empelechar	1
embozar	11	empamparse	1	empellar	1
embragar	7	empanar	1	empellejar	1
embravecer	61	empandar	1	empeller	84
embrazar	11	empandillar	1	empelotarse	1
embrear	1	empanizar	11	empenachar	1
embregarse	7	empantanar	1	empentar	1
embreñarse	1	empañar	1	empeñar	1
embriagar	7	empañetar	1	empeorar	1
embridar	1	empañicar	4	empequeñecer	61
embrocar	4	empapar	1	emperchar	1
embrochalar	1	empapelar	1	empercudir	3
embrollar	1	empapirotar	1	emperejilar	1
embromar	1	empapuciar	1	emperezar	11
embroncarse	4	empapuzar	1	empergaminar	1
embroquelarse	1	empaquetar	1	empericarse	4
embroquetar	1	emparamar	1	emperifollar	1
embrujar	1	emparamentar	1	empernar	1
embrutecer	61	emparchar	1	emperrarse	1
embuchar	1	empardar	1	empesgar	7
embudar	1	emparedar	1	empestillarse	1
embullar	1	emparejar	1	empetatar	1
emburujar	1	emparentar	49	**empezar**	**50**
embustear	1	emparrar	1	empicarse	4
embutir	3	emparrillar	1	empicotar	1
emerger	15	emparvar	1	empilar	1
emigrar	1	empastar	1	empilchar	1
emitir	3	empastelar	1	empiltrarse	1
emocionar	1	empatar	1	empiluchar	1
emolir	3	empatillar	1	empinar	1
empacar	4	empatronar	1	empingorotar	1
empachar	1	empavesar	1	empiojarse	1
empadrarse	1	empavonar	1	empitonar	1
empadronar	1	empecer	61	empizarrar	1
empajar	1	empecinar	1	emplantillar	1
empajolar	36	empedar	1	emplastar	1
empalagar	7	empedernir	24	emplastecer	61
empalar	1	empedrar	49	emplazar	11
empalicar	4	empegar	7	emplear	1

emplomar	1	enalbar	1	encalillarse	1
emplumar	1	enalmagrar	1	encallar	1
emplumecer	61	enaltecer	61	encallecer	61
empobrecer	61	enamarillecer	2	encallejonar	1
empoderar	1	enamorar	1	encalmar	1
empodrecer	61	enamoriscarse	4	encalomar	1
empollar	1	enancarse	1	encalostrarse	1
empoltronecerse	61	enanchar	1	encalvecer	61
empolvar	1	enangostar	1	encamarar	1
emponcharse	1	enarbolar	1	encamar	1
emponzoñar	1	enarcar	4	encambijar	1
empopar	1	enardecer	61	encambrar	1
emporcar	42	enarenar	1	encambronar	1
emporrar	1	enarmonar	1	encaminar	1
empotrar	1	enartar	1	encamisar	1
empotrerar	1	enastar	1	encamotarse	1
empozar	11	enastilar	1	encampanar	1
empradizar	11	encabalgar	7	encanalar	1
emprender	2	encaballar	1	encanalizar	11
empreñar	1	encabar	1	encanallar	1
empretecer	61	encabellecerse	61	encanarse	1
emprimar	1	encabestrar	1	encanastar	1
empringar	7	encabezar	11	encancerarse	1
empuchar	1	encabezonarse	1	encandecer	61
empuercar	4	encabillar	1	encandelar	1
empujar	1	encabrahigar	8	encandelillar	1
empulgar	7	encabriar	1	encandilar	1
empuntar	1	encabrillar	1	encanecer	61
empuñar	1	encabritarse	1	encanijar	1
empurar	1	encabronar	1	encanillar	1
empurpurar	1	encabuyar	1	encantarar	1
empurrarse	1	encachar	1	encantar	1
emputecer	61	encadenar	1	encantusar	1
emular	1	encajar	1	encanutar	1
emulsionar	1	encajerarse	1	encañamar	1
enaceitar	1	encajetillar	1	encañar	1
enacerar	1	encajonar	1	encañizar	11
enaguachar	1	encalabozar	11	encañonar	1
enaguar	9	encalabrinar	1	encapachar	1
enaguazar	11	encalambrarse	1	encapar	1
enajenar	1	encalamocar	4	encapazar	11
enalbardar	1	encalar	1	encaperuzar	11

encapillar	1	enceguecer	61	enclaustrar	1
encapirotar	1	encelajarse	1	enclavar	1
encapotar	1	encelar	1	enclavijar	1
encapricharse	1	enceldar	1	enclocar	42
encapsular	1	encellar	1	encloquecer	61
encapuchar	1	encenagarse	7	encobar	1
encapuzar	11	encender	53	encobijar	1
encaramar	1	encendrar	1	encobrar	1
encarar	1	encenizar	11	encochar	1
encaratularse	1	encentar	49	encoclar	36
encarcavinar	1	encentrar	1	encocorar	1
encarcelar	1	encepar	1	encocrar	36
encarecer	61	encerar	1	encodillarse	1
encargar	7	encernadar	1	encofrar	1
encariñar	1	encerotar	1	encoger	15
encarnar	1	encerrar	49	encogollarse	1
encarnecer	61	encerrizarse	11	encohetar	1
encarnizar	11	encespedar	1	encojar	1
encarpetar	1	encestar	1	encolar	1
encarrerarse	1	encetar	1	encolerizar	11
encarrilar	1	enchancletar	1	encomendar	49
encarroñar	1	enchapar	1	encomiar	1
encarrujarse	1	encharcar	4	encompadrar	1
encartar	1	enchavetar	1	enconar	1
encartonar	1	enchilar	1	enconfitar	1
encartuchar	1	enchinarrar	1	encontrar	36
encasar	1	enchinar	1	encoñarse	1
encascabelar	1	enchinchar	1	encopetar	1
encascar	4	enchipar	1	encorachar	1
encascotar	1	enchiquerar	1	encorajar	1
encasillar	1	enchironar	1	encorajinar	1
encasquetar	1	enchivarse	1	encorar	36
encasquillar	1	enchuecar	4	encorchar	1
encastillar	1	enchufar	1	encorchetar	1
encastrar	1	enchularse	1	encordar	36
encatusar	1	enchuletar	1	encordelar	1
encauchar	1	enchumbar	1	encordonar	1
encausar	1	encielar	1	encorecer	61
encauzar	11	encimar	1	encornudar	1
encavarse	1	encintar	1	encorozar	11
encebadar	1	encismar	1	encorralar	1
encebollar	1	encizañar	1	encorrear	1

encorsetar	1	endeudar	1	enfrascar	4
encortinar	1	endiablar	1	enfrenar	1
encorujarse	1	endilgar	7	enfrentar	1
encorvar	1	endiñar	1	enfriar	18
encostalar	1	endiosar	1	enfroscar	1
encostarse	1	enditarse	1	enfullar	1
encostrar	1	endoblar	1	enfullinarse	1
encovar	36	endomingarse	7	enfunchar	1
encrasar	1	endorsar	1	enfundar	1
encrespar	1	endosar	1	enfurecer	61
encrestarse	1	endoselar	1	enfurruñarse	1
encristalar	1	endrogarse	7	enfurruscarse	1
encrudecer	61	endulzar	11	enfurtir	3
encruelecer	61	endurar	1	engafar	1
encuadernar	1	endurecer	61	engaitar	1
encuadrar	1	enejar	1	engalanar	1
encuartar	1	enemistar	1	engalgar	7
encuartelar	1	energizar	11	engallar	1
encubar	1	enervar	1	enganchar	1
encubertar	1	enfadar	1	engañar	1
encubrir	26	enfajar	1	engarabatar	1
encuclillarse	1	enfajillar	1	engarabitar	1
encuerar	1	enfajinar	1	engaratusar	1
encuestar	1	enfaldar	1	engarbarse	1
encuetarse	1	enfangar	7	engarbullar	1
encuevar	1	enfardar	1	engargantar	1
encuitarse	1	enfardelar	1	engargolar	1
encular	1	enfatizar	11	engaritar	1
enculatar	1	enfermar	1	engarrafar	1
encumbrar	1	enfervorizar	11	engarrar	1
encunar	1	enfeudar	1	engarriar	1
encurdarse	1	enfielar	1	engarrotar	1
encureñar	1	enfiestarse	1	engarzar	11
encurtir	3	enfilar	1	engasgarse	7
endehesar	1	enfistolar	1	engastar	1
endemoniar	1	enflaquecer	61	engatar	1
endentar	49	enflautar	1	engatillar	1
endentecer	61	enflorar	1	engatusar	1
endeñarse	1	enfocar	4	engaviar	1
enderechar	1	enfondar	1	engavilanar	1
enderezar	11	enfoscar	4	engavillar	1
enderrotar	1	enfrailar	1	engazar	11

engendrar	1	enguantar	1	enjaretar	1
engentarse	1	enguatar	1	enjaular	1
engibar	1	enguerrillarse	1	enjebar	1
englobar	1	enguijarrar	1	enjergar	1
engocetar	1	enguillotarse	1	enjerir	3
engolar	1	enguirnaldar	1	enjertar	1
engolfar	1	enguitarrarse	1	enjorguinarse	1
engolletarse	1	enguizgar	7	enjoyar	1
engolliparse	1	**engullir**	**83**	enjuagar	7
engolondrinar	1	engurrar	1	enjugar	7
engolosinar	1	engurrumir	3	enjuiciar	1
engomar	1	engurruñar	1	enjuncar	4
engominarse	1	engurruñir	3	enjutar	1
engonzar	11	engusgarse	1	enlabiar	1
engorar	36	enhacinar	1	enlaciar	1
engordar	1	enharinar	1	enladrillar	1
engorrar	1	enhastiar	18	enlagunar	1
engoznar	1	enhastillar	1	enlamar	1
engranar	1	enhatijar	1	enlardar	1
engrandar	1	enhebillar	1	enlatar	1
engrandecer	61	enhebrar	1	enlazar	11
engranerar	1	enhenar	1	enlechar	1
engranujarse	1	enherbolar	1	enlegajar	1
engrapar	1	enhestar	49	enlegamar	1
engrasar	1	enhielar	1	enlejiar	18
engravar	1	enhilar	1	enlenzar	50
engravecer	61	enhollinarse	1	enlerdar	1
engredar	1	enhorcar	4	enligar	7
engreír	80	enhornar	1	enlistonar	1
engrescar	4	enhorquetar	1	enlizar	11
engrifar	1	enhuecar	4	enllantar	1
engrillar	1	enhuerar	1	enllentecer	61
engrilletar	1	enigmatizar	11	enllocar	42
engringarse	7	enjabegarse	7	enlobreguecer	61
engrosar	1	enjabonar	1	enlodar	1
engrudar	1	enjaezar	11	enlodazar	11
engruesar	1	enjaguar	9	enlomar	1
engrumecerse	61	enjalbegar	7	enloquecer	61
engruñar	1	enjambrar	1	enlosar	1
enguachinar	1	enjaquimar	1	enlozanarse	1
engualdrapar	1	enjarciar	1	enlozar	11
engualichar	1	enjardinar	1	enlucir	62

enlustrecer	61	enrabar	1	enrudecer	61
enlutar	1	enrabiar	1	enrugar	7
enmaderar	1	enracimarse	1	enruinecer	61
enmadrarse	1	**enraizar**	**12**	ensabanar	1
enmagrecer	61	enralecer	61	ensacar	4
enmalecer	61	enramar	1	ensalivar	1
enmallarse	1	enramblar	1	ensalmar	1
enmangar	7	enranciar	1	ensalobrarse	1
enmarañar	1	enrarecer	61	ensalzar	11
enmararse	1	enrasar	1	ensamblar	1
enmarcar	4	enrasillar	1	ensanchar	1
enmarchitar	1	enratonarse	1	ensandecer	61
enmaridar	1	enrayar	1	ensangrentar	49
enmarillecerse	61	enreciar	1	ensañar	1
enmaromar	1	enredar	1	ensarmentar	49
enmascarar	1	enrehojar	1	ensarnecer	61
enmasillar	1	enrejalar	1	ensartar	1
enmelar	49	enrejar	1	ensayalarse	1
enmendar	49	enresmar	1	ensayar	1
enmerdar	1	enriar	18	ensebar	1
enmohecer	61	enrielar	1	enselvar	1
enmollecer	61	enrigidecer	61	ensenar	1
enmonarse	1	enriostrar	1	enseñar	1
enmondar	1	enriquecer	61	enseñorearse	1
enmontarse	1	enriscar	4	enserar	1
enmoquetar	1	enristrar	1	ensilar	1
enmordazar	11	enrizar	11	ensillar	1
enmostar	1	enrocar [en ajedrez]	1	ensimismarse	1
enmotar	1	enrocar [de rueca]	42	ensoberbecer	61
enmudecer	61	enrodar	36	ensobrar	1
enmugrar	1	enrodrigar	7	ensogar	7
enmugrecer	61	enrojar	1	ensolerar	1
enmustiar	1	enrojecer	61	ensolver	46
enneciarse	1	enrolar	1	ensombrecer	61
ennegrecer	61	enrollar	1	ensoñar	36
ennoblecer	61	enromar	1	ensopar	1
ennudecer	61	enronchar	1	ensordecer	61
enojar	1	enronquecer	61	ensortijar	1
enorgullecer	61	enroñar	1	ensotarse	1
enquiciar	1	enroscar	4	ensuciar	1
enquillotrar	1	enrostrar	1	entabacarse	4
enquistarse	1	enrubiar	1	entabicar	4

entablar	1	entornar	1	entrerrenglonar	1
entablerarse	1	entornillar	1	entresacar	4
entablillar	1	entorpecer	61	entretallar	1
entalegar	7	entortar	36	entretejer	2
entalingar	7	entosigar	7	entretelar	1
entallar	1	entrabar	1	entretener	95
entallecer	61	entramar	1	entreuntar	1
entalonar	1	entrampar	1	entrevenarse	1
entamar	1	entrampillar	1	entrevenir	96
entapizar	11	entrañar	1	entreverar	1
entapujar	1	entrapajar	1	entrever	60
entarascar	4	entrapar	1	entrevigar	7
entarimar	1	entrapazar	11	entrevistar	1
entarquinar	1	entrar	1	entristecer	61
entarugar	7	entreabrir	26	entrojar	1
entecarse	1	entrecavar	1	entrometer	2
entejar	1	entrecerrar	49	entromparse	1
entender	53	entrechocar	4	entronar	1
entenebrecer	61	entrecoger	15	entroncar	4
enterar	1	entrecomar	1	entronerar	1
entercarse	4	entrecomillar	1	entronizar	11
enterciar	1	entrecortar	1	entropillar	1
enternecer	61	entrecriarse	18	entruchar	1
enterrar	49	entrecruzar	11	entrujar	1
entesar	49	entredecir	88	entubar	1
entestar	1	entregar	7	entullecer	61
entibar	1	entrejuntar	1	entumecer	61
entibiar	1	entrelazar	11	entumirse	3
entierrar	1	entrelinear	1	entunicar	4
entiesar	1	entrelucir	62	entupir	3
entinar	1	entremediar	1	enturbiar	1
entintar	1	entremesar	1	entusiasmar	1
entiznar	1	entremesear	1	enumerar	1
entolar	1	entremeter	2	enunciar	1
entoldar	1	entremezclar	1	envagarar	1
entomizar	11	entrenar	1	envagrar	1
entonar	1	entrencar	4	envaguecer	61
entonelar	1	entrenzar	11	envainar	1
entongar	7	entreoír	68	envalentonar	1
entontecer	61	entreparecerse	61	envalijar	1
entorchar	1	entrepernar	49	envanecer	61
entorilar	1	entrepunzar	11	envarar	1

envarbascar	4	equiparar	1	escamonearse	1
envasar	1	equipar	1	escamotar	1
envedijarse	1	equiponderar	1	escamotear	1
envegarse	7	equivaler	64	escampar	1
envejecer	61	equivocar	4	escamujar	1
envelar	1	erar	1	escanciar	1
envenenar	1	ergotizar	11	escandalar	1
enverar	1	**erguir**	**57**	escandalizar	11
enverdecer	61	erigir	16	escandallar	1
envergar	7	erisipelar	1	escandir	3
envesar	1	erizar	11	escantillar	1
envestir	32	erogar	7	escapar	1
enviar	18	erosionar	1	escapular	1
enviciar	1	erotizar	11	escaquear	1
envidar	1	erradicar	4	escarabajear	1
envidiar	1	**errar**	**52**	escaramucear	1
envigar	7	eructar	1	escaramuzar	11
envilecer	61	erupcionar	1	escarapelar	1
envinagrar	1	erutar	1	escarbar	1
envinar	1	esbarar	1	escarcear	1
envirar	1	esbatimentar	1	escarchar	1
enviscar	4	esbozar	11	escardar	1
enviudar	1	esbrencar	4	escardillar	1
envolver	46	escabechar	1	escariar	1
enyerbar	1	escabrosearse	1	escarificar	4
enyesar	1	escabullarse	1	escarizar	11
enyugar	7	escabullirse	83	escarmenar	1
enzainarse	1	escacharrar	1	escarmentar	49
enzalamar	1	escachar	1	escarnecer	61
enzarzar	11	escachifollar	1	escarolar	1
enzolvar	1	escafilar	1	escarpar	1
enzoquetar	1	escagarruzarse	1	escarrancharse	1
enzunchar	1	escalabrar	1	escarzar	11
enzurdecer	61	escalar	1	escasear	1
enzurizar	11	escaldar	1	escatimar	1
enzurronar	1	escalfar	1	escavanar	1
epatar	1	escalofriar	1	escavar	1
epilogar	1	escalonar	1	escayolar	1
epitimar	1	escalpar	1	escenificar	4
epitomar	1	escamar	1	escindir	3
equidistar	1	escamochar	1	escintilar	1
equilibrar	1	escamondar	1	esclarecer	61

esclavizar	11	esculcar	4	esparcir	14
esclerosar	1	escullirse	83	esparragar	7
esclerotizar	11	esculpir	3	esparramar	1
escobajar	1	escupir	3	esparrancarse	4
escobar	1	escurar	1	espatarrarse	1
escobazar	11	escurrir	3	especializar	11
escobillar	1	esdrujulizar	11	especiar	1
escocer	45	esfacelar	1	especificar	4
escodar	1	esfogar	1	especular	1
escofinar	1	esforrocinar	1	espejarse	1
escoger	15	esforzar	41	espejear	1
escogorciarse	1	esfumar	1	espelotarse	1
escolarizar	11	esfuminar	1	espelucar	4
escolar	1	esgarrar	1	espeluzar	11
escoliar	1	esgonzar	11	espeluznar	1
escollar	36	esgrafiar	18	esperanzar	11
escoltar	1	esgrimir	3	esperar	1
escombrar	1	esguardamillar	1	esperezarse	11
escomerse	2	esguazar	11	espesar	1
esconder	2	eslabonar	1	espetar	1
esconzar	11	eslavizar	11	espiar	18
escoñar	1	esmaltar	1	espichar	1
escopetear	1	esmerar	1	espigar	7
escoplear	1	esmerilar	1	espinar	1
escorar	1	esmorecer	2	espinochar	1
escorchar	1	esmuir	70	espirar	1
escoriar	1	esmuñir	82	espiritar	1
escornarse	1	esnifar	1	espiritualizar	11
escorzar	11	espabilar	1	espitar	1
escoscar	4	espachurrar	1	esplender	2
escotar	1	espaciar	1	espolear	1
escribir	**28**	espadañar	1	espoliar	1
escriturar	1	espadar	1	espolinar	1
escrupulizar	11	espadillar	1	espolvorear	1
escrutar	1	espalar	1	espolvorizar	11
escuadrar	1	espaldear	1	esponjar	1
escuadronar	1	espaldonarse	1	esponsorizar	11
escuchar	1	espalmar	1	espontanearse	1
escudar	1	espantar	1	esportear	1
escuderear	1	españolar	1	esporular	1
escudillar	1	españolear	1	esposar	1
escudriñar	1	españolizar	11	esprintar	1

espulgar	7	estebar	1	estroquear	1
espumajear	1	estenografiar	18	estrucar	4
espumarajear	1	estenotipiar	1	estructurar	1
espumar	1	esterar	1	estrujar	1
espumear	1	estercolar	1	estucar	4
espurrear	1	estereotipar	1	estuchar	1
espurriar	18	esterilizar	11	estudiar	1
espurrir	3	estezar	11	estuprar	1
esputar	1	estibar	1	esturar	1
esquebrajar	1	estigmatizar	11	esturdir	3
esquejar	1	estilar	1	esturgar	7
esquematizar	11	estilizar	11	esturrear	1
esquiar	18	estimar	1	esvarar	1
esquiciar	1	estimular	1	eterizar	11
esquifar	1	estiomenar	1	eternizar	11
esquilar	1	estipendiar	1	etimologizar	11
esquilmar	1	estipticar	4	etiquetar	1
esquinar	1	estipular	1	europeizar	12
esquinzar	11	estirar	1	evacuar	1
esquivar	1	estofar	1	evadir	3
estabilizar	11	estomagar	7	evaluar	19
establear	1	estoquear	1	evanecer	61
establecer	61	estorbar	1	evanescer	61
estabular	1	estordir	3	evangelizar	11
estacar	4	estornudar	1	evaporar	1
estacionar	1	estovar	1	evaporizar	11
estafar	1	estragar	7	evidenciar	1
estajar	1	estrangular	1	eviscerar	1
estallar	1	estraperlear	1	evitar	1
estambrar	1	estratificar	4	evocar	4
estampar	1	estrechar	1	evolucionar	1
estampillar	1	estregar	7	exacerbar	1
estancar	4	estrellar	1	exagerar	1
estandardizar	11	estremecer	61	exaltar	1
estandarizar	11	estrenar	1	examinar	1
estañar	1	estreñir	35	exasperar	1
estaquear	1	estresar	1	excandecer	61
estaquillar	1	estriar	18	excarcelar	1
estar	**90**	estribar	1	excavar	1
estarcir	14	estridular	1	exceder	2
estatificar	4	estropajear	1	excepcionar	1
estatuir	70	estropear	1	exceptuar	19

excitar	1	explanar	1	eyectar	1
exclamar	1	explayar	1	ezquerdear	1
exclaustrar	1	explicar	4		
excluir	70	explicitar	1		
excogitar	1	explicotear	1	**F**	
excomulgar	7	explorar	1		
excoriar	1	explosionar	1	fabricar	4
excrementar	1	explotar	1	fabular	1
excretar	1	expoliar	1	facetar	1
exculpar	1	exponer	66	facetear	1
excusar	1	exportar	1	fachear	1
execrar	1	expresar	1	fachendear	1
exentar	1	exprimir	3	facilitar	1
exfoliar	1	expropiar	1	facturar	1
exhalar	1	expugnar	1	facultar	1
exheredar	1	expulsar	1	faenar	1
exhibir	3	expurgar	7	fagocitar	1
exhortar	1	extasiarse	18	fajar	1
exhumar	1	extender	53	falcar	4
exigir	16	extenuar	19	faldear	1
exilar	1	exteriorizar	11	fallar	1
exiliar	1	exterminar	1	fallecer	61
eximir	3	externar	1	fallir	3
existimar	1	extinguir	10	falsar	1
existir	3	extirpar	1	falsear	1
exonerar	1	extorsionar	1	falsificar	4
exorar	1	extractar	1	faltar	1
exorbitar	1	extraditar	1	familiarizar	11
exorcizar	11	extraer	72	fanatizar	11
exornar	1	extralimitar	1	fanfarrear	1
expandir	3	extranjerizar	11	fanfarronear	1
expansionarse	1	extrañar	1	fantasear	1
expatriar	18	extrapolar	1	fantasmear	1
expectorar	1	extravasarse	1	fañar	1
expedientar	1	extravenar	1	farabustear	1
expedir	32	extraviar	18	farandulear	1
expeler	2	extremar	1	fardar	1
expender	2	extrudir	3	farfullar	1
expensar	1	exudar	1	farolear	1
experimentar	1	exulcerar	1	farrear	1
expiar	18	exultar	1	fascinar	1
expirar	1	eyacular	1	fastidiar	1

fatigar	7	fintar	1	forestar	1
favorecer	61	firmar	1	forjar	1
fechar	1	fiscalizar	11	formalizar	11
fecundar	1	fisgar	7	formar	1
fecundizar	11	fisgonear	1	formatear	1
federar	1	fisionar	1	formular	1
felicitar	1	fistularse	1	fornicar	4
felpar	1	flagelar	1	forrajear	1
felpear	1	flagrar	1	forrar	1
feminizar	11	flambear	1	fortalecer	61
fenecer	61	flamear	1	fortificar	4
fenicar	4	flanquear	1	**forzar**	**41**
feriar	1	flaquear	1	fosar	1
fermentar	1	flautear	1	fosfatar	1
ferrar	49	flechar	1	fosforar	1
ferretear	1	fletar	1	fosforecer	61
ferrificarse	4	flexibilizar	11	fosforescer	61
fertilizar	11	flexionar	1	fosilizarse	11
fervorizar	11	flipar	1	fotocomponer	66
festejar	1	flirtear	1	fotocopiar	1
festonar	1	flocular	1	fotograbar	1
festonear	1	flojear	1	fotografiar	18
feudar	1	florar	1	fotolitografiar	18
fiambrar	1	flordelisar	1	fotosintetizar	11
fiar	18	florear	1	fracasar	1
fibrilar	1	florecer	61	fraccionar	1
fichar	1	floretear	1	fracturar	1
fieltrar	1	flotar	1	fragilizar	11
figurar	1	fluctuar	19	fragmentar	1
fijar	1	fluidificar	4	fraguar	9
filar	1	fluir	70	frangir	16
filetear	1	focalizar	11	frangollar	1
filiar	1	fogarizar	11	franjar	1
filmar	1	foguear	1	franjear	1
filosofar	1	foliar	1	franquear	1
filtrar	1	follar [de practicar el coito]	1	frasear	1
finalizar	11	follar [de *fuelle*]	36	fratasar	1
financiar	1	fomentar	1	fraternizar	11
finar	1	fondear	1	frecuentar	1
fincar	4	forcejar	1	fregar	51
fingir	16	forcejear	1	fregotear	1
finiquitar	1			**freír**	**81**

frenar	1	galantear	1	garrear	1
frenetizar	11	galardonar	1	garrir	3
fresar	1	galbanear	1	garrochar	1
fretar	1	galibar	1	garrochear	1
frezar	11	gallardear	1	garronear	1
fricar	4	gallar	1	garrotear	1
friccionar	1	gallear	1	garuar	19
frisar	1	gallofar	1	gasear	1
fritar	1	gallofear	1	gasificar	4
frivolizar	11	galonear	1	gastar	1
frogar	7	galopar	1	gatear	1
frotar	1	galopear	1	gauchear	1
fructificar	4	galuchar	1	gavillar	1
fruir	70	galvanizar	11	gayar	1
fruncir	14	gamberrear	1	gazmiar	1
frustrar	1	gambetear	1	gaznar	1
frutar	1	gamitar	1	gelatinar	1
frutecer	61	ganar	1	gelatinizar	11
fucilar	1	gandujar	1	gelificar	4
fufar	1	gandulear	1	geminar	1
fugarse	7	gangrenarse	1	gemiquear	1
fulgir	16	ganguear	1	gemir	32
fulgurar	1	gansear	1	generalizar	11
fulminar	1	ganzuar	19	generar	1
fumar	1	gañir	82	gentilizar	11
fumigar	7	garabatear	1	germanizar	11
funcionar	1	garafiñar	1	germinar	1
fundamentar	1	garantir	24	gestar	1
fundar	1	garantizar	11	gestear	1
fundir	3	garapiñar	1	gesticular	1
fungir	16	garbear	1	gestionar	1
fuñar	1	garbillar	1	gibar	1
fuñicar	4	garfear	1	gilipollear	1
fusilar	1	gargajear	1	gimotear	1
fusionar	1	gargantear	1	girar	1
fustigar	7	gargarizar	11	gitanear	1
		garlar	1	glasear	1
		garrafiñar	1	globalizar	11
G		garramar	1	gloriar	18
		garrapatear	1	glorificar	4
gafar	1	garrapiñar	1	glosar	1
gaguear	1	garrar	1	glotonear	1

gluglutear	1	gravitar	1	gulusmear	1
gobernar	49	graznar	1	gurruñar	1
gofrar	1	grecizar	11	gusanear	1
golear	1	grietarse	1	gustar	1
golfear	1	grifarse	1		
golosear	1	grillar	1		
golosinar	1	gripar	1		

H

golosinear	1	grisear	1		
golosmear	1	gritar	1	**haber**	**97**
golpear	1	groar	1	habilitar	1
golpetear	1	gruir	70	habitar	1
goncear	1	grujir	3	habituar	19
gongorizar	11	gruñir	82	hablar	1
gorgojarse	1	guachapear	1	hacendar	49
gorgoritear	1	guadañar	1	**hacer**	**77**
gorgotear	1	gualdrapear	1	hachar	1
gorjear	1	guanaquear	1	hachear	1
gormar	1	guantear	1	hacinar	1
gorrear	1	guapear	1	hadar	1
gorronear	1	guardar	1	halagar	7
gotear	1	guarecer	61	halar	1
gozar	11	guarnecer	61	haldear	1
grabar	1	guarnicionar	1	hallar	1
gracejar	1	guarnir	24	hamacar	1
gradar	1	guarrear	1	hamaquear	1
graduar	19	guasearse	1	hambrear	1
grajear	1	guayabear	1	haraganear	1
gramaticalizarse	11	guayar	1	harbullar	1
gramatiquear	1	guerrear	1	harinear	1
granallar	1	guerrillear	1	harmonizar	11
granar	1	**guiar**	**18**	harnear	1
grandisonar	1	guillarse	1	haronear	1
granear	1	guillotinar	1	harrear	1
granizar	11	guinchar	1	hartar	1
granjear	1	guindar	1	hastiar	18
granular	1	guiñar	1	hatajar	1
grapar	1	guipar	1	hatear	1
gratar	1	guisar	1	hebraizar	12
gratificar	4	guitarrear	1	hechizar	11
gratinar	1	guitar	1	heder	53
gratular	1	guitonear	1	helar	49
gravar	1	guizgar	7	helear	1

helenizar	11	hinchar	1	hospitalizar	11
hembrear	1	hipar	1	hostiar	1
henchir	32	hipear	1	hostigar	7
hender	53	hiperbolizar	11	hostilizar	11
hendir	55	hiperestesiar	1	hoyar	1
henear	1	hipertrofiar	1	hozar	11
henificar	4	hipnotizar	11	huachar	1
heñir	35	hipostasiar	1	huchear	1
herbajar	1	hipotecar	4	huevar	1
herbajear	1	hirmar	1	huevear	1
herbar	49	hisopar	1	huevonear	1
herbecer	61	hisopear	1	**huir**	**70**
herbolar	1	hispanizar	11	humanar	1
herborizar	11	historiar	1	humanizar	11
heredar	1	hitar	1	humar	1
herir	56	hocicar	4	humear	1
hermanar	1	hociquear	1	humectar	1
hermanear	1	hojalatear	1	humedecer	61
hermanecer	61	hojaldrar	1	humidificar	4
hermetizar	11	hojear	1	humillar	1
hermosear	1	holear	1	hundir	3
herniarse	1	holgar	40	huracanarse	1
herrar	49	holgazanear	1	hurgar	7
herrenar	1	hollar	36	hurgonear	1
herretear	1	hombrear	1	hurguetear	1
herrumbrar	1	homenajear	1	huronear	1
herventar	49	homogeneizar	12	hurtar	1
hervir	56	homologar	7	husmar	1
hesitar	1	hondear	1	husmear	1
hetar	1	honestar	1		
hibernar	1	honrar	1		
hibridar	1	hoparse	1	**I**	
hidratar	1	hopear	1		
hidrogenar	1	horadar	1	idealizar	11
hidrolizar	11	hormiguear	1	idear	1
higienizar	11	hormonar	1	identificar	4
hijuelar	1	hornaguear	1	idiotizar	11
hilar	1	hornear	1	idolatrar	1
hilvanar	1	horrar	1	ignorar	1
himpar	1	horripilar	1	igualar	1
himplar	1	horrorizar	11	ijadear	1
hincar	4	hospedar	1	ilegalizar	11

ilegitimar	1	impurificar	4	indisponer	66
iludir	3	imputar	1	individualizar	11
iluminar	1	inactivar	1	individuar	19
ilusionar	1	inaugurar	1	indizar	11
ilustrar	1	incapacitar	1	inducir	86
imaginar	1	incardinar	1	indulgenciar	1
imanar	1	incautarse	1	indultar	1
imantar	1	incendiar	1	indurar	1
imbricar	4	incensar	49	industrializar	11
imbuir	70	incentivar	1	industriar	1
imbunchar	1	incidir	3	inervar	1
imitar	1	incinerar	1	infamar	1
impacientar	1	incitar	1	infantilizar	11
impactar	1	inclinar	1	infartar	1
impartir	3	incluir	70	infatuar	19
impedir	32	incoar	1	infeccionar	1
impeler	2	incomodar	1	infectar	1
impender	2	incomunicar	4	inferir	56
imperar	1	incordiar	1	infernar	49
impermeabilizar	11	incorporar	1	infestar	1
impersonalizar	11	incrementar	1	infeudar	1
impetrar	1	increpar	1	infibular	1
implantar	1	incriminar	1	inficionar	1
implar	1	incrustar	1	infiltrar	1
implicar	4	incubar	1	infirmar	1
implorar	1	inculcar	4	inflamar	1
imponer	66	inculpar	1	inflar	1
importar	1	incumbir	3	infligir	16
importunar	1	incumplir	3	influenciar	1
imposibilitar	1	incurrir	3	influir	70
impostar	1	incusar	1	informar	1
imprecar	4	indagar	7	informatizar	11
impregnar	1	indemnizar	11	infraccionar	1
imprentar	1	independizar	11	infrautilizar	11
impresionar	1	indexar	1	infravalorar	1
imprimar	1	indicar	4	infringir	16
imprimir	**29**	indiciar	1	infundir	3
improbar	36	indigestarse	1	infurtir	3
improperar	1	indignar	1	ingeniar	1
improvisar	1	indilgar	7	ingerir	56
impugnar	1	indinar	1	ingletear	1
impulsar	1	indisciplinar	1	ingresar	1

ingurgitar	1	instar	1	interpolar	1
inhabilitar	1	instaurar	1	interponer	66
inhalar	1	instigar	7	interprender	2
inhestar	49	instilar	1	interpretar	1
inhibir	3	institucionalizar	11	interrogar	7
inhumar	1	instituir	70	interrumpir	3
inicializar	11	instruir	70	intersecarse	4
iniciar	1	instrumentalizar	11	intervenir	96
injerir	56	instrumentar	1	intestar	1
injertar	1	insubordinar	1	intimar	1
injuriar	1	insudar	1	intimidar	1
inmaterializar	11	insuflar	1	intitular	1
inmigrar	1	insultar	1	intoxicar	4
inmiscuir	70	insumir	3	intranquilizar	11
inmolar	1	insurreccionar	1	intricar	4
inmortalizar	11	integrar	1	intrigar	7
inmovilizar	11	intelectualizar	11	intrincar	4
inmunizar	11	intensar	1	introducir	86
inmutar	1	intensificar	4	intrusarse	1
innovar	1	intentar	1	intubar	1
inocular	1	interaccionar	1	intuir	70
inquietar	1	intercalar	1	inundar	1
inquinar	1	intercambiar	1	inutilizar	11
inquirir	54	interceder	2	invadir	3
insacular	1	interceptar	1	invaginar	1
insalivar	1	intercomunicar	4	invalidar	1
inscribir	3	interconectar	1	inventariar	18
insculpir	3	interdecir	88	inventar	1
inseminar	1	interesar	1	invernar	49
insensibilizar	11	interferir	56	invertir	56
inserir	56	interfoliar	1	investigar	7
insertar	1	interinar	1	investir	32
insidiar	1	interiorizar	11	inveterarse	1
insinuar	19	interlinear	1	invigilar	1
insistir	3	intermediar	1	invitar	1
insolar	1	intermitir	3	invocar	4
insolentar	1	internacionalizar	11	involucionar	1
insolubilizar	11	internalizar	11	involucrar	1
insonorizar	11	internar	1	inyectar	1
inspeccionar	1	interpaginar	1	ionizar	11
inspirar	1	interpelar	1	**ir**	**99**
instalar	1	interpenetrarse	1	irirear	1

irisar	1	jarbar	1	jumarse	1
ironizar	11	jarciar	1	jumentizar	11
irradiar	1	jaropar	1	junar	1
irreverenciar	1	jaropear	1	juntar	1
irrigar	7	jarrar	1	jupiarse	1
irritar	1	jarrear	1	juramentar	1
irrogar	7	jarretar	1	jurar	1
irruir	70	jasar	1	jurificar	1
irrumpir	3	jaspear	1	justar	1
islamizar	11	jerarquizar	11	justiciar	1
isomerizar	11	jeremiquear	1	justificar	4
isquemiar	1	jericoplear	1	justipreciar	1
istriar	18	jeringar	7	juzgar	7
italianizar	11	jeringuear	1		
iterar	1	jesusear	1		
izar	11	jetearse	1	**K**	
izquierdear	1	jilipollear	1		
		jilotear	1	kilometrar	1
		jimplar	1		
J		jinetear	1		
		jinglar	1	**L**	
jabalconar	1	jiñar	1		
jabalonar	1	jipiar	18	labializar	11
jabardear	1	jirpear	1	laborar	1
jabear	1	jochear	1	laborear	1
jabonar	1	jocotear	1	labrar	1
jacarear	1	joder	2	laburar	1
jactarse	1	jonjabar	1	lacar	1
jadear	1	jonjear	1	lacear	1
jaezar	11	joparse	1	lacerar	1
jaharrar	1	jopear	1	lachear	1
jalar	1	jornalar	1	lacrar	1
jalbegar	7	jornalear	1	lactar	1
jalear	1	jorobar	1	ladear	1
jalonar	1	jorrar	1	ladrar	1
jalonear	1	juagar	7	ladrear	1
jamar	1	jubilar	1	ladrillar	1
jamerdar	49	judaizar	12	ladronear	1
jamurar	1	juerguearse	1	lagartear	1
jaquear	1	**jugar**	58	lagotear	1
jarabear	1	juguetear	1	lagrimar	1
jaranear	1	julepear	1	lagrimear	1

laicizar	11	laxar	1	lijar	1
lamber	2	layar	1	lilequear	1
lambiscar	4	lazar	11	limar	1
lambisquear	1	lechucear	1	limitar	1
lambrucear	1	**leer**	**17**	limosnear	1
lambucear	1	legalizar	11	limpiar	1
lamentar	1	legar	7	lincear	1
lamer	2	legislar	1	linchar	1
laminar	1	legitimar	1	lindar	1
lamiscar	4	legrar	1	linear	1
lampacear	1	lengüetear	1	liofilizar	11
lampar	1	lenificar	4	lipidiar	1
lampear	1	lentecer	61	liquidar	1
lamprear	1	lentificar	4	lisiar	1
lancear	1	lerdear	1	lisonjear	1
lancinar	1	lesear	1	listar	1
languidecer	61	lesionar	1	listonar	1
lanzar	11	letificar	4	litar	1
lañar	1	leudar	1	litigar	7
lapidar	1	levantar	1	litofotografiar	18
lapidificar	4	levar	1	litografiar	18
lapizar	11	levigar	7	lividecer	61
laquear	1	levitar	1	lixiviar	1
lardar	1	lexicalizar	11	llagar	7
lardear	1	liar	18	llaguear	1
largar	7	libar	1	llamar	1
lascar	4	libelar	1	llamear	1
lastar	1	liberalizar	11	llanear	1
lastimar	1	liberar	1	llapar	1
lastrar	1	libertar	1	llauquearse	1
latear	1	librar	1	llavear	1
lateralizar	11	librear	1	llegar	7
latiguear	1	licenciar	1	llenar	1
latinar	1	licitar	1	lleudar	1
latinear	1	licuar	1	llevar	1
latinizar	11	licuefacer	79	llorar	1
latir	3	liderar	1	lloriquear	1
latrocinar	1	lidiar	1	llover	43
laudar	1	liftar	1	lloviznar	1
laurear	1	ligar	7	llovisnear	1
lavar	1	ligerear	1	loar	1
lavotear	1	lignificar	4	lobear	1

lobreguecer	61	macizar	11	mallar	1
localizar	11	macollar	1	malmeter	2
lograr	1	macular	1	malograr	1
lombardear	1	madrear	1	maloquear	1
lomear	1	madrigalizar	11	malparar	1
lonchear	1	madrugar	7	malparir	3
lonjear	1	madurar	1	malpasar	1
loquear	1	maestralizar	11	malpensar	49
losar	1	maestrear	1	malquerer	93
lotear	1	magnetizar	11	malquistar	1
lozanear	1	magnificar	4	malrotar	1
lozanecer	61	magostar	1	maltear	1
lubricar	4	magrear	1	maltraer	72
lubrificar	4	maguarse	1	maltratar	1
luchar	1	magullar	1	malvar	1
lucir	**62**	maherir	56	malvender	2
lucrar	1	mahometizar	11	malversar	1
lucubrar	1	majadear	1	malvivir	3
ludir	3	majaderear	1	mamar	1
luir	70	majar	1	mampostear	1
lujar	1	majear	1	mampresar	1
lujuriar	1	malacostumbrar	1	mamujar	1
lustrar	1	malaxar	1	mamullar	1
lustrear	1	malbaratar	1	manar	1
luxar	1	malcasar	1	mancar	4
		malcomer	2	manchar	1
		malcriar	18	mancillar	1
		maldecir	88	mancipar	1
M		maleabilizar	11	mancomunar	1
		malear	1	mancornar	36
macadamizar	11	maleducar	4	mandar	1
macanear	1	maleficiar	1	mandatar	1
macarse	4	malemplear	1	mandilar	1
macear	1	malentender	53	mandrilar	1
macerar	1	malgastar	1	manducar	4
machacar	4	malherir	56	manear	1
machar	1	malhumorar	1	manejar	1
machear	1	maliciar	1	manferir	56
machetear	1	malignar	1	manganear	1
machihembrar	1	malignizarse	11	mangar	7
machinar	1	malingrar	1	mangonear	1
machucar	4	malinterpretar	1	manguear	1

maniatar	1	marinear	1	maximizar	11
manifestar	49	mariposear	1	mayar	1
maniobrar	1	mariscar	4	mayear	1
manipular	1	marlotar	1	mayordomear	1
manir	24	marmolear	1	mazar	11
manjolar	1	marmullar	1	maznar	1
manojear	1	maromear	1	mazonear	1
manosear	1	marramizar	11	mear	1
manotear	1	marranear	1	mecanizar	11
manquear	1	marrar	1	mecanografiar	18
mansurrear	1	marrear	1	mecatiar	1
mantear	1	marrullar	1	**mecer**	**13**
mantener	95	martajar	1	mechar	1
manufacturar	1	martillar	1	mechificar	4
manumitir	3	martillear	1	mechonear	1
manuscribir	3	martirizar	11	mediar	1
manutener	95	masacrar	1	mediatizar	11
mañanear	1	masajear	1	medicar	4
mañear	1	masar	1	medicinar	1
mañerear	1	mascar	4	medir	32
mañosear	1	mascujar	1	meditar	1
maquear	1	masculinizar	11	medrar	1
maquilar	1	mascullar	1	mejorar	1
maquillar	1	masificar	4	melancolizar	11
maquinar	1	mastear	1	melar	49
maquinizar	11	masticar	4	melgar	7
marañar	1	masturbar	1	melificar	4
maravillar	1	matar	1	melindrear	1
marcar	4	matasellar	1	mellar	1
marcear	1	matear	1	memorar	1
marcenar	1	matematizar	11	memorizar	11
marchamar	1	materializar	11	menar	1
marchar	1	maternizar	11	mencionar	1
marchitar	1	matizar	11	mendigar	7
marcir	3	matraquear	1	menear	1
marear	1	matrerear	1	menguar	9
margenar	1	matricular	1	menoscabar	1
marginar	1	matrimoniar	1	menospreciar	1
margullar	1	matrizar	11	menstruar	19
mariconear	1	matutear	1	mensurar	1
maridar	1	maular	21	mentalizar	11
marinar	1	maullar	21	mentar	49

mentir	56	miniar	1	moldear	1
menudear	1	miniaturizar	11	moldurar	1
merar	1	minimizar	11	moler	43
mercadear	1	ministrar	1	molestar	1
mercantilizar	11	minorar	1	molificar	4
mercar	4	minusvalorar	1	molinetear	1
mercerizar	11	minutar	1	mollear	1
merecer	61	mirar	1	mollificar	4
merendar	49	mirificar	4	mollinear	1
mermar	1	mirlarse	1	molliznar	1
merodear	1	misar	1	molliznear	1
mesar	1	miserear	1	molturar	1
mestizar	11	misionar	1	momear	1
mesurar	1	mistar	1	momificar	4
metabolizar	11	mistificar	4	mondar	1
metaforizar	11	misturar	1	monear	1
metalizar	11	mitificar	4	monedar	1
metamorfizar	11	mitigar	7	monetizar	11
metamorfosear	1	mitinear	1	monitorizar	11
metatizar	11	mitrar	1	monologar	7
meteorizar	11	mixtificar	4	monopolizar	11
meter	2	mixturar	1	monoptongar	7
metodizar	11	moblar	36	montanear	1
metrificar	4	mocar	4	montantear	1
mezclar	1	mocear	1	montar	1
mezquinar	1	mochar	1	montazgar	7
miar	18	mocionar	1	montear	1
miccionar	1	modelar	1	monumentalizar	11
microfilmar	1	modelizar	11	moquear	1
migar	7	moderar	1	moquetear	1
migrar	1	modernizar	11	moquitear	1
milagrear	1	modificar	4	moralizar	11
militarizar	11	modorrar	1	morar	1
militar	1	modular	1	morcar	4
milpear	1	mofar	1	morder	43
mimar	1	mohatrar	1	mordicar	4
mimbrar	1	mohecerse	61	mordiscar	4
mimbrear	1	mohosearse	1	mordisquear	1
mimeografiar	18	mojar	1	morigerar	1
mimetizar	11	mojonar	1	**morir**	**48**
minar	1	molar	1	mormarse	1
mineralizar	11	moldar	1	mormullar	1

morrear	1	murciar	1	nidificar	4
mortajar	1	murmujear	1	nielar	1
mortificar	4	murmullar	1	nimbar	1
moscardear	1	murmurar	1	ningunear	1
moscar	4	murriar	1	niñear	1
mosconear	1	muscularse	1	niquelar	1
mosquear	1	musicalizar	11	nitrar	1
mostear	1	musitar	1	nitratar	1
mostrar	36	mustiarse	1	nitrificar	4
motar	1	mutar	1	nitrogenar	1
motear	1	mutilar	1	nitrurar	1
motejar	1			nivelar	1
motilar	1			nocautear	1
motivar	1	**N**		noctambular	1
motorizar	11			nocturnear	1
mover	**43**	nacer	61	nombrar	1
movilizar	11	nacionalizar	11	nominalizar	11
mozonear	1	nadar	1	nominar	1
muchachear	1	najarse	1	noquear	1
mudar	1	nalguear	1	nordestear	1
mueblar	1	nancear	1	normalizar	11
muellear	1	nanear	1	noroestear	1
muequear	1	narcotizar	11	nortear	1
muflir	3	narrar	1	noruestear	1
mugar	7	nasalizar	11	notar	1
mugir	16	naturalizar	11	noticiar	1
mulatear	1	naufragar	7	notificar	4
mulatizar	11	navegar	7	novar	1
muletear	1	neblinear	1	novelar	1
mullir	83	nebulizar	11	novelizar	11
multar	1	necear	1	noviar	1
multicopiar	1	necesitar	1	novillear	1
multiplexar	1	necrosar	1	nublar	1
multiplicar	4	negar	51	nuclearizar	11
mundanear	1	negligir	3	numerar	1
mundificar	4	negociar	1	nutrir	3
municionar	1	negrear	1		
municipalizar	11	negrecer	61		
muñequear	1	nesgar	7	**Ñ**	
muñir	82	neutralizar	11		
muquir	6	nevar	49	ñangotarse	1
murar	1	neviscar	4	ñapear	1

O

obcecar	4
obedecer	61
obispar	1
objetar	1
objetivar	1
objetivizar	11
oblicuar	1
obligar	7
obliterar	1
obnubilar	1
obrar	1
obscurecer	61
obsequiar	1
observar	1
obsesionar	1
obstaculizar	11
obstar	1
obstinarse	1
obstruir	70
obtemperar	1
obtener	95
obturar	1
obviar	1
ocalear	1
ocasionar	1
occidentalizar	11
ochavar	1
ociar	1
ociosear	1
ocluir	70
octavar	1
octuplicar	4
ocultar	1
ocupar	1
ocurrir	3
odiar	1
odiosear	1
ofender	2
ofertar	1
oficializar	11

oficiar	1
ofrecer	61
ofrendar	1
ofuscar	4
oír	**68**
ojalar	1
ojear	1
ojetear	1
olear	1
oler	**44**
olfatear	1
oliscar	4
olismear	1
olisquear	1
olivar	1
olorizar	11
olorosear	1
olvidar	1
ominar	1
omitir	3
oncear	1
ondear	1
ondular	1
opacar	4
opalizar	11
operar	1
opilarse	1
opinar	1
oponer	66
opositar	1
oprimir	3
oprobiar	1
optar	1
optimar	1
optimizar	11
opugnar	1
orar	1
orbitar	1
ordenar	1
ordeñar	1
orear	1
orejear	1

organizar	11
orientar	1
orificar	4
originar	1
orillar	1
orinar	1
orlar	1
ornamentar	1
ornar	1
orquestar	1
orvallar	1
orzar	11
osar	1
oscilar	1
oscurecer	61
osear	1
osificarse	4
ostentar	1
otear	1
otoñar	1
otorgar	7
ovacionar	1
ovalar	1
ovar	1
ovillar	1
ovular	1
oxear	1
oxidar	1
oxigenar	1
ozonizar	11

P

pacer	61
pacificar	4
pactar	1
padecer	61
padrear	1
padrotear	1
paganizar	11
pagar	**7**

paginar	1	parafinar	1	pastear	1
pairar	1	parafrasear	1	pastelear	1
pajarear	1	parahusar	21	pasterizar	11
pajear	1	paralelar	1	pasteurizar	11
palabrear	1	paralizar	11	pastorear	1
paladear	1	paralogizar	11	patalear	1
palanganear	1	paramentar	1	patear	1
palanquear	1	parangonar	1	patentar	1
palatalizar	11	parapetarse	1	patentizar	11
palear	1	parar	1	patinar	1
palenquear	1	parasitar	1	patiperrear	1
paletear	1	parcelar	1	patiquebrar	49
paletizar	11	parchar	1	patriar	1
paliar	1	parchear	1	patrocinar	1
palidecer	61	pardear	1	patronear	1
paliquear	1	parear	1	patrullar	1
palmar	1	parecer	61	patullar	1
palmear	1	parificar	4	paular	1
palmotear	1	parir	3	pauperizar	11
palomear	1	parkerizar	11	pausar	1
palotear	1	parlamentar	1	pautar	1
palpar	1	parlar	1	pavear	1
palpitar	1	parlotear	1	pavimentar	1
pampear	1	parodiar	1	pavonar	1
pandar	1	parpadear	1	pavonear	1
pandear	1	parpar	1	pavordear	1
panderetear	1	parquear	1	payar	1
pandorguear	1	parrafear	1	pecar	4
panear	1	parrandear	1	pechar	1
panegirizar	11	parrar	1	pechear	1
panificar	4	partear	1	pecorear	1
pantallear	1	participar	1	pedalear	1
papachar	1	particularizar	11	pedantear	1
papar	1	**partir**	**3**	**pedir**	**32**
papear	1	parvificar	4	pedorrear	1
papelear	1	pasamanar	1	peer	17
papeletear	1	pasaportar	1	pegar	7
papelonear	1	pasar	1	pegotear	1
paporrear	1	pasear	1	peguntar	1
paporretear	1	pasmar	1	peinar	1
paquetear	1	pasquinar	1	pelambrar	1
parabolizar	11	pastar	1	pelar	1

pelear	1	pergeñar	1	pespuntar	1
pelechar	1	periclitar	1	pespuntear	1
peligrar	1	perifonear	1	pesquisar	1
pelletizar	11	perifrasear	1	pestañear	1
pellizcar	4	perimir	3	petardear	1
pelotear	1	peritar	1	petar	1
peludear	1	perjudicar	4	petrificar	4
peluquear	1	perjurar	1	petrolear	1
penalizar	11	perlar	1	piafar	1
penar	1	perlongar	7	piar	18
pencar	4	permanecer	61	picanear	1
pendejear	1	permeabilizarse	11	picardear	1
pendenciar	1	permear	1	picarizar	11
pender	2	permitir	3	picar	4
pendonear	1	permutar	1	picharse	1
pendrar	1	pernear	1	pichear	1
penetrar	1	perniquebrar	49	pichonear	1
penitenciar	1	pernoctar	1	pichulear	1
pensar	**49**	pernotar	1	picotear	1
pensionar	1	perorar	1	pifiar	1
pepenar	1	peroxidar	1	pigmentar	1
peraltar	1	perpetrar	1	pignorar	1
percatar	1	perpetuar	19	pilar	1
perchar	1	perquirir	54	pillar	1
perchonar	1	perseguir	34	pillear	1
percibir	3	perseverar	1	pilotar	1
percollar	36	persignar	1	pilotear	1
percudir	3	persistir	3	pimplar	1
percutir	3	personalizar	11	pimpollear	1
perder	53	personarse	1	pimpollecer	61
perdigar	7	personificar	4	pincelar	1
perdonar	1	persuadir	3	pinchar	1
perdurar	1	pertenecer	61	pindonguear	1
perecear	1	pertiguear	1	pingar	7
perecer	61	pertrechar	1	pingonear	1
peregrinar	1	perturbar	1	pintarrajar	1
perennizar	11	peruanizar	11	pintarrajear	1
perfeccionar	1	pervertir	56	pintar	1
perfilar	1	pervibrar	1	pintiparar	1
perforar	1	pervivir	3	pintonear	1
perfumar	1	pesar	1	pintorrear	1
perfumear	1	pescar	4	pinzar	11

piñonear	1	platear	1	popar	1
piolar	1	platicar	4	popularizar	11
pipar	1	platinar	1	porcar	42
pipetear	1	plebiscitar	1	pordiosear	1
pipiar	18	plegar	51	porfiar	18
pirar	1	pleitear	1	porfirizar	11
piratear	1	plisar	1	pormenorizar	11
pirograbar	1	plomar	1	porracear	1
piropear	1	plomear	1	porrear	1
pirrarse	1	plumear	1	portar	1
piruetear	1	pluralizar	11	portazgar	7
pisar	1	poblar	36	portear	1
pisonear	1	pobretear	1	posar	1
pisotear	1	pochar	1	poseer	17
pispar	1	podar	1	posesionar	1
pispear	1	**poder**	**92**	posibilitar	1
pispiar	1	**podrir**	**31**	posicionar	1
pistar	1	poetizar	11	positivar	1
pitar	1	polarizar	11	posponer	66
pitear	1	polemizar	11	postergar	7
pitorrearse	1	policopiar	1	postilar	1
piular	1	policromar	1	postinear	1
pivotar	1	polimerizar	11	postrar	1
pivotear	1	polinizar	11	postular	1
pizcar	4	polir	24	potabilizar	11
placar	4	politiquear	1	potar	1
placear	1	politizar	11	potenciar	1
placer	**91**	pollear	1	potrear	1
plagar	7	pololear	1	potrerear	1
plagiar	1	poltronear	1	practicar	4
planchar	1	poltronizarse	11	prebendar	1
planchear	1	polucionar	1	precalentar	49
planear	1	polvificar	4	precaucionarse	1
planificar	4	polvorear	1	precautelar	1
plantar	1	polvorizar	11	precaver	2
plantear	1	pompear	1	preceder	2
plantificar	4	pomponearse	1	preceptuar	19
plantillar	1	poncharse	1	preciarse	1
plañir	82	ponderar	1	precintar	1
plasmar	1	**poner**	**66**	precipitar	1
plastecer	61	pontear	1	precisar	1
plastificar	4	pontificar	4	preconcebir	32

preconizar	11	preseleccionar	1	profanar	1
preconocer	61	presenciar	1	profazar	11
predecir	**89**	presentar	1	proferir	56
predefinir	3	presentir	56	profesar	1
predestinar	1	preservar	1	profesionalizar	11
predeterminar	1	presidiar	1	profetizar	11
predicar	4	presidir	3	profundar	1
predisponer	66	presionar	1	profundizar	11
predominar	1	prestar	1	programar	1
preelegir	33	prestigiar	1	progresar	1
preestablecer	61	presumir	3	**prohibir**	**22**
preexistir	3	presuponer	66	prohijar	20
prefabricar	4	presupuestar	1	proletarizar	11
preferir	32	presurizar	11	proliferar	1
prefigurar	1	pretender	2	prolijear	1
prefijar	1	preterir	24	prologar	1
prefinir	3	pretermitir	3	prolongar	7
pregonar	1	preternaturalizar	11	promanar	1
preguntar	1	pretextar	1	promediar	1
pregustar	1	prevalecer	61	prometer	2
prejuzgar	7	prevaler	64	promiscuar	1
prelucir	62	prevaricar	4	promocionar	1
preludiar	1	prevenir	96	promover	43
premeditar	1	**prever**	**60**	promulgar	7
premiar	1	primar	1	pronosticar	4
premorir	48	primearse	1	pronunciar	1
premostrar	36	primorear	1	propagar	7
prendar	1	principiar	1	propalar	1
prender	2	pringar	7	propasar	1
prenotar	1	privar	1	propender	2
prensar	1	privatizar	11	propiciar	1
prenunciar	1	privilegiar	1	propinar	1
preñar	1	probar	36	proponer	66
preocupar	1	proceder	2	proporcionar	1
preordinar	1	procesar	1	propugnar	1
preparar	1	proclamar	1	propulsar	1
preponderar	1	procrastinar	1	prorratear	1
preponer	66	procrear	1	prorrogar	7
preposterar	1	procurar	1	prorrumpir	3
presagiar	1	prodigar	7	proscribir	3
prescindir	3	producir	86	proseguir	34
prescribir	28	proejar	1	prosificar	4

prospectar	1	puntuar	19	rabiatar	1
prosperar	1	punzar	11	rabosear	1
prosternarse	1	punzonar	1	rabotear	1
prostituir	70	purear	1	racanear	1
protagonizar	11	purgar	7	rachear	1
proteger	**15**	purificar	4	racimar	1
protestar	1	purpurar	1	raciocinar	1
protocolar	1	putañear	1	racionalizar	11
protocolizar	11	putear	1	racionar	1
proveer	**30**			radiar	1
provenir	96			radicalizar	11
proverbiar	1	**Q**		radicar	4
providenciar	1			radiobalizar	11
provisionar	1	quebrajar	1	radiodifundir	3
provocar	1	quebrantar	1	radiodirigir	16
proyectar	1	quebrar	49	radiografiar	18
psicoanalizar	11	quedar	1	radiotelefonear	1
puar	19	quejar	1	radiotelegrafiar	18
pubescer	61	quejumbrar	1	radiotransmitir	3
publicar	4	quemar	1	**raer**	**74**
publicitar	1	querellarse	1	rafear	1
puchar	1	**querer**	**93**	rajar	1
pudelar	1	querochar	1	ralear	1
pudrir	**31**	quesear	1	ralentizar	11
puentear	1	quietar	1	rallar	1
puerilizar	11	quilatar	1	ramalear	1
pugnar	1	quilificar	4	ramificar	4
pujar	1	quillotrar	1	ramonear	1
pulimentar	1	quimerizar	11	ranchear	1
pulir	3	quimificar	4	ranciar	1
pulsar	1	quinchar	1	ranurar	1
pulsear	1	quinolear	1	rapar	1
pulular	1	quintaesenciar	1	rapiñar	1
pulverizar	11	quintar	1	raposear	1
punchar	1	quintuplicar	4	raptar	1
puncionar	1	quistarse	1	raquear	1
pungir	16	quitar	1	rarear	1
punir	3			**rarefacer**	**79**
puntar	1	**R**		rarificar	4
puntear	1			rasar	1
puntisecar	4	rabear	1	rascar	4
puntualizar	11	rabiar	1	rascuñar	1

rasear	1	realquilar	1	rebufar	1
rasgar	7	realzar	11	rebujar	1
rasguear	1	reamar	1	rebullir	83
rasguñar	1	reanimar	1	rebumbar	1
rasmillarse	1	reanudar	1	reburujar	1
raspahilar	1	reaparecer	61	rebuscar	4
raspar	1	reapretar	49	rebutir	3
raspear	1	rearar	1	rebuznar	1
rasquetear	1	reargüir	71	recabar	1
rastillar	1	rearmar	1	recaer	73
rastrallar	1	reasegurar	1	recalar	1
rastrear	1	reasumir	3	recalcar	4
rastrillar	1	reatar	1	recalcificar	4
rastrojar	1	reaventar	1	recalcitrar	1
rastrojear	1	reavivar	1	recalentar	49
rasurar	1	rebabar	1	recalificar	4
ratear	1	rebajar	1	recalzar	11
ratificar	4	rebalsar	1	recamar	1
ratigar	7	rebanar	1	recambiar	1
ratinar	1	rebanear	1	recapacitar	1
ratonar	1	rebañar	1	recapitular	1
rayar	1	rebarbar	1	recargar	7
razonar	1	rebasar	1	recatar	1
razziar	1	rebatir	3	recatear	1
reabastecer	61	rebautizar	11	recatonear	1
reabrir	26	rebelarse	1	recauchar	1
reabsorber	2	rebinar	1	recauchutar	1
reaccionar	1	rebitar	1	recaudar	1
reactivar	1	reblandecer	61	recavar	1
reacuñar	1	reblar	1	recebar	1
readaptar	1	rebobinar	1	recechar	1
readecuar	1	rebombar	1	recejar	1
readmitir	3	rebordear	1	recelar	1
readquirir	3	reborujar	1	recentar	49
reafirmar	1	rebosar	1	receñir	35
reagravar	1	rebotar	1	receptar	1
reagrupar	1	rebozar	11	recercar	4
reagudizar	11	rebramar	1	recesar	1
reajustar	1	rebrillar	1	recetar	1
realegrarse	1	rebrincar	4	rechazar	11
realizar	11	rebrotar	1	rechiflar	1
realojar	1	rebudiar	1	rechinar	1

rechistar	1	recortar	1	redolar	1
recibir	3	recorvar	1	redondear	1
reciclar	1	recoser	2	redorar	1
recidivar	1	recostar	36	redrojar	1
recinchar	1	recovar	1	reducir	86
reciprocar	4	recrear	1	redundar	1
recitar	1	recrecer	61	reduplicar	4
reclamar	1	recriar	18	reedificar	4
reclinar	1	recriminar	1	reeditar	1
recluir	70	recristalizar	11	reeducar	4
reclutar	1	recrudecer	61	reelegir	33
recobrar	1	recrujir	3	reembarcar	4
recocer	45	rectar	1	reembolsar	1
recochinearse	1	rectificar	4	reemplazar	11
recodar	1	rectorar	1	reemprender	2
recoger	15	recuadrar	1	reencarnar	1
recolar	36	recubrir	3	reencauchar	1
recolectar	1	recudir	3	reencontrar	36
recolocar	4	recuestar	1	reencuadernar	1
recomendar	49	recular	1	reenganchar	1
recomenzar	50	recuñar	1	reengendrar	1
recomerse	2	recuperar	1	reensayar	1
recompensar	1	recurar	1	reenviar	18
recomponer	66	recurrir	3	reenvidar	1
reconcentrar	1	recusar	1	reequilibrar	1
reconciliar	1	redactar	1	reescribir	28
reconcomerse	2	redargüir	71	reestrenar	1
recondenar	1	redar	1	reestructurar	1
reconducir	86	redecir	87	reevaluar	19
reconfortar	1	redefinir	3	reexaminar	1
reconocer	61	redescontar	36	reexpedir	32
reconquistar	1	redescubrir	3	reexportar	1
reconsiderar	1	redhibir	3	refanfinflar	1
reconstituir	70	rediezmar	1	referir	56
reconstruir	70	redilar	1	refigurar	1
recontar	36	redilear	1	refilar	1
reconvalecer	61	redimir	3	refinar	1
reconvenir	96	rediseñar	1	refirmar	1
reconvertir	56	redistribuir	70	refitolear	1
recopilar	1	redituar	19	reflectar	1
recordar	36	redoblar	1	reflejar	1
recorrer	2	redoblegar	7	reflexionar	1

reflorecer	61	regocijar	1	reinterpretar	1
reflotar	1	regodearse	1	reintroducir	86
refluir	70	regoldar	36	reinventar	1
refocilar	1	regolfar	1	reinvertir	56
reforestar	1	regostarse	1	**reír**	**80**
reformar	1	regraciar	1	reiterar	1
reformatear	1	regresar	1	reivindicar	4
reforzar	41	regruñir	82	rejacar	4
refractar	1	reguilar	1	rejitar	1
refregar	51	regularizar	11	rejonear	1
refreír	81	regular	1	rejuntar	1
refrenar	1	regurgitar	1	rejuvenecer	61
refrendar	1	rehabilitar	1	relabrar	1
refrescar	4	rehacer	77	relacionar	1
refrigerar	1	rehartar	1	relajar	1
refringir	16	rehelear	1	relamer	2
refucilar	1	rehenchir	32	relampaguear	1
refugiar	1	reherir	56	relanzar	11
refulgir	16	reherrar	49	relatar	1
refundar	1	rehervir	56	relativizar	11
refundir	3	rehilar	20	relavar	1
refunfuñar	1	rehogar	7	relazar	11
refutar	1	rehollar	36	releer	17
regacear	1	rehoyar	1	relegar	7
regalar	1	rehuir	70	relejar	1
regalonear	1	rehumedecer	61	relentecer	61
regañar	1	rehundir	23	relevar	1
regañir	82	rehurtarse	1	relievar	1
regar	**51**	rehusar	21	religar	7
regatear	1	reilar	1	relimar	1
regatonear	1	reimplantar	1	relimpiar	1
regazar	11	reimportar	1	relinchar	1
regenerar	1	reimprimir	29	relingar	7
regentar	1	reinar	1	rellanar	1
regentear	1	reincidir	3	rellenar	1
regimentar	1	reincorporar	1	reluchar	1
regionalizar	11	reingresar	1	relucir	62
regir	**33**	reiniciar	1	relumbrar	1
registrar	1	reinsertar	1	relvar	1
reglamentar	1	reinstalar	1	remachar	1
reglar	1	reinstaurar	1	remallar	1
regletear	1	reintegrar	1	remanar	1

remandar	1	remugar	7	repellar	1
remanecer	61	remullir	83	repensar	49
remangar	7	remunerar	1	repentizar	11
remansarse	1	remusgar	7	repercudir	3
remarcar	4	renacer	61	repercutir	3
remar	1	rencontrar	1	repesar	1
rematar	1	rendar	1	repescar	4
rembolsar	1	rendir	32	repetir	32
remecer	13	renegar	51	repicar	4
remedar	1	renegociar	1	repicotear	1
remediar	1	renegrear	1	repinarse	1
remedir	32	rengar	7	repintar	1
remejer	2	renguear	1	repiquetear	1
remellar	1	renovar	36	repisar	1
remembrar	1	renquear	1	repizcar	4
rememorar	1	rentabilizar	11	replantar	1
remendar	49	rentar	1	replantear	1
remenearse	1	renunciar	1	replegar	51
remesar	1	renvalsar	1	repletar	1
remeter	2	reñir	35	replicar	4
remilgarse	7	reobrar	1	repoblar	36
remilitarizar	11	reordenar	1	repodar	1
remirar	1	reorganizar	11	repodrir	31
remitir	3	reorientar	1	repollar	1
remodelar	1	repacer	61	reponer	66
remojar	1	repagar	7	reportar	1
remolcar	4	repampinflar	1	reposar	1
remoler	43	repanchigarse	7	reposicionar	1
remolinar	1	repanchingarse	7	repostar	1
remolinear	1	repantigarse	7	repoyar	1
remolonear	1	repantingarse	7	repreguntar	1
remondar	1	repapilarse	1	reprehender	2
remontar	1	reparar	1	reprender	2
remorder	43	repartir	3	represar	1
remosquearse	1	repasar	1	representar	1
remostar	1	repastar	1	reprimir	3
remostecer	61	repatear	1	reprivatizar	11
remover	43	repatriar	18	reprobar	36
remozar	11	repechar	1	reprochar	1
remplazar	11	repeinar	1	reproducir	86
rempujar	1	repelar	1	repropiarse	1
remudar	1	repeler	2	reptar	1

repuchar	1	residenciar	1	resumir	3
repudiar	1	residir	3	resurgir	16
repudrir	31	resignar	1	resurtir	3
repugnar	1	resinar	1	retacar	4
repujar	1	resinificar	4	retacear	1
repulgar	7	resistir	3	retajar	1
repulir	3	resobar	1	retallar	1
repulsar	1	resobrar	1	retallecer	61
repuntar	1	resollar	36	retardar	1
repurgar	7	resolver	46	retar	1
reputar	1	resonar	36	retasar	1
requebrar	49	resoplar	1	retazar	11
requemar	1	resorber	2	retejar	1
requerir	56	respahilar	20	retejer	2
requintar	1	respaldar	1	retemblar	49
requisar	1	respectar	1	retener	95
resaber	94	respeluzar	11	retentar	49
resabiar	1	respetar	1	reteñir	35
resacar	4	respigar	7	retesar	1
resalar	1	respingar	7	retinar	1
resalir	65	respirar	1	retiñir	82
resallar	1	resplandecer	61	retirar	1
resaltar	1	responder	2	retobar	1
resaludar	1	responsabilizar	11	retocar	4
resanar	1	responsar	1	retomar	1
resarcir	14	responsear	1	retoñar	1
resbalar	1	resquebrajar	49	retorcer	45
rescaldar	1	resquebrar	1	retoricar	4
rescatar	1	resquemar	1	retornar	1
rescindir	3	restablecer	61	retortijar	1
rescoldar	1	restallar	1	retostar	36
rescontrar	36	restañar	1	retozar	11
resecar	4	restar	1	retractar	1
resegar	51	restaurar	1	retraducir	86
reseguir	34	restituir	70	retraer	72
resellar	1	restregar	51	retrancar	4
resembrar	49	restribar	1	retranquear	1
resentirse	56	restringir	16	retransmitir	3
reseñar	1	restriñir	82	retrasar	1
reservar	1	resucitar	1	retratar	1
resfriar	18	resudar	1	retrechar	1
resguardar	1	resultar	1	retreparse	1

retribuir	70	revivificar	4	rodrigar	7
retrillar	1	revivir	3	**roer**	**69**
retroceder	2	revocar	4	rogar	40
retrogradar	1	revolar	36	rojear	1
retronar	36	revolcar	42	rolar	1
retrotraer	72	revolear	1	roldar	1
retrovender	2	revolotear	1	rollar	1
retrucar	4	revolucionar	1	romanar	1
retumbar	1	revolver	43	romancear	1
retundir	3	revotarse	1	romanear	1
reubicar	4	rezagar	7	romanizar	11
reunificar	4	rezar	11	romanzar	11
reunir	**23**	rezongar	7	**romper**	**27**
reuntar	1	rezumar	1	roncar	4
reutilizar	11	rezurcir	14	roncear	1
revacunar	1	ribetear	1	ronchar	1
revalidar	1	ridiculizar	11	rondar	1
revalorizar	11	rielar	1	ronquear	1
revaluar	19	rifar	1	ronronear	1
revejecer	61	rilar	1	ronzar	11
revelar	1	rimar	1	rosarse	1
reveler	2	rimbombar	1	roscar	4
revenar	1	ringar	7	rosear	1
revender	2	ringletear	1	rostir	3
revenir	96	riostrar	1	rotar	1
reventar	49	ripiar	1	rotular	1
reverberar	1	riscar	4	roturar	1
reverdecer	61	risotear	1	rozar	11
reverenciar	1	ritmar	1	roznar	1
reverter	53	ritualizar	11	ruar	19
revertir	56	rivalizar	11	rubificar	4
rever	60	rizar	11	ruborizar	11
revesar	1	robar	1	rubricar	4
revestir	32	roblar	1	rufianear	1
revezar	11	roblonar	1	rugar	7
revidar	1	roborar	1	rugir	16
revigorizar	11	robotizar	11	rular	1
revindicar	4	robustecer	61	ruletear	1
revirar	1	rochar	1	rumbear	1
revisar	1	rociar	18	rumiar	1
revistar	1	rodar	36	rumorear	1
revitalizar	11	rodear	1	runrunear	1

ruñar	1	sallar	1	secundar	1
rusentar	1	salmear	1	sedar	1
rusificar	4	salmodiar	1	sedear	1
rusticar	4	salmuerarse	1	sedentarizar	11
rutilar	1	salomar	1	sedimentar	1
		salpicar	4	seducir	86
		salpimentar	49	segar	51
S		salpresar	1	segmentar	1
		salpullir	83	segregar	7
sabanear	1	saltar	1	seguetear	1
sabatizar	11	saltear	1	**seguir**	**34**
saber	**94**	saludar	1	segundar	1
sablear	1	salvaguardar	1	seisavar	1
saborear	1	salvar	1	seleccionar	1
sabotear	1	sambenitar	1	sellar	1
sacar	**4**	sanar	1	semblantear	1
sacarificar	4	sancionar	1	sembrar	49
sachar	1	sancochar	1	semejar	1
saciar	1	sanear	1	sementar	49
sacralizar	11	sangrar	1	senderar	1
sacramentar	1	sangrentar	49	senderear	1
sacrificar	4	sanguificar	4	sensibilizar	11
sacudir	3	santificar	4	sentar	49
saetar	1	santiguar	9	sentenciar	1
saetear	1	saponificar	4	**sentir**	**56**
sahornarse	1	saquear	1	señalar	1
sahumar	21	sargentear	1	señalizar	11
sainar	20	sarmentar	49	señolear	1
sainetear	1	sarpullir	83	señorear	1
sajar	1	satelizar	11	separar	1
sajelar	1	satinar	1	septuplicar	4
salabardear	1	satirizar	11	sepultar	1
salariar	1	**satisfacer**	**78**	**ser**	**98**
salar	1	saturar	1	serenar	1
salcochar	1	sazonar	1	seriar	1
saldar	1	secar	4	sermonear	1
salearse	1	seccionar	1	serpear	1
salegar	7	secretar	1	serpentear	1
salgar	7	secretear	1	serpollar	1
salificar	4	secuenciar	1	serrar	49
salir	**65**	secuestrar	1	serruchar	1
salivar	1	secularizar	11	serviciar	1

servir	32	sistematizar	11	sobrehilar	20
sesear	1	sitiar	1	sobrellavar	1
sesgar	7	situar	19	sobrellenar	1
sesionar	1	soasar	1	sobrellevar	1
sestear	1	sobajar	1	sobremoldear	1
setenar	1	sobajear	1	sobrenadar	1
sextavar	1	sobarcar	4	sobrenaturalizar	11
sextuplicar	4	sobar	1	sobrentender	53
sexualizar	11	soberanear	1	sobrepasar	1
sicoanalizar	11	soberbiar	1	sobrepintarse	1
sigilar	1	sobornar	1	sobreponer	53
signar	1	sobradar	1	sobreproteger	15
significar	4	sobrar	1	sobrepujar	1
silabar	1	sobrasar	1	sobresalir	65
silabear	1	sobreabundar	1	sobresaltar	1
silbar	1	sobreactuar	19	sobresanar	1
silenciar	1	sobreaguar	9	sobresaturar	1
silgar	7	sobrealimentar	1	sobrescribir	3
silogizar	11	sobrealzar	11	sobreseer	17
siluetar	1	sobreañadir	3	sobresellar	1
siluetear	1	sobrearar	1	sobresembrar	49
simbolizar	11	sobreasar	1	sobresolar	36
simpatizar	11	sobrebarrer	2	sobrestimar	1
simplificar	4	sobrebeber	2	sobretasar	1
simular	1	sobrecalentar	49	sobrevenir	96
simultanear	1	sobrecargar	7	sobreverterse	53
sinalefar	1	sobrecartar	1	sobrevestir	32
sincerar	1	sobrecenar	1	sobrevirar	1
sincopar	1	sobrecoger	15	sobrevivir	3
sincopizar	11	sobrecongelar	1	sobrevolar	36
sincronizar	11	sobrecrecer	61	sobrexceder	2
sindicalizar	11	sobrecurar	1	sobrexcitar	1
sindicar	4	sobredimensionar	1	sobrexponer	66
singar	7	sobredorar	1	socaliñar	1
singlar	1	sobreedificar	4	socalzar	11
singularizar	11	sobreentender	53	socapar	1
sinterizar	11	sobreestimar	1	socarrar	1
sintetizar	11	sobreexceder	2	socar	4
sintonizar	11	sobreexcitar	1	socavar	1
sirgar	7	sobreexponer	66	socializar	11
sisar	1	sobreganar	1	socolar	36
sisear	1	sobregirar	1	socorrer	2

sodomizar	11	sonetear	1	suavizar	11
sofaldar	1	sonetizar	11	subalternar	1
sofisticar	4	sonochar	1	subarrendar	49
soflamar	1	sonorizar	11	subastar	1
sofocar	4	sonreír	80	subcontratar	1
sofreír	81	sonrodarse	36	subdelegar	7
sofrenar	1	sonrojar	1	subdistinguir	10
soguear	1	sonrojear	1	subdividir	3
sojuzgar	7	sonrosar	1	subemplear	1
solapar	1	sonrosear	1	subentender	53
solar	36	sonsacar	4	suberificarse	4
solazar	11	sonsear	1	subestimar	1
soldar	36	soñar	36	subexponer	66
solear	1	sopalancar	4	subintrar	1
solemnizar	11	sopapear	1	subir	3
soler	43	sopar	1	sublevar	1
solevar	1	sopear	1	sublimar	1
solfear	1	sopesar	1	subministrar	1
solicitar	1	sopetear	1	subordinar	1
solidarizar	11	soplar	1	subrayar	1
solidar	1	soplonear	1	subrogar	7
solidificar	4	soportar	1	subsanar	1
soliloquiar	1	sopuntar	1	subscribir	28
soliviantar	1	sorber	2	subseguir	34
soliviar	1	sornar	1	subsidiar	1
sollamar	1	sorprender	2	subsistir	3
sollozar	11	sorrabar	1	subsolar	36
soltar	36	sorregar	51	substanciar	1
solucionar	1	sortear	1	substantivar	1
solvatar	1	sosañar	1	substituir	70
solventar	1	sosegar	51	substraer	72
somatizar	11	soslayar	1	subsumir	3
sombrar	1	sospechar	1	subtender	53
sombrear	1	sospesar	1	subtitular	1
someter	2	sostener	95	subvalorar	1
somorgujar	1	sotanear	1	subvencionar	1
somormujar	1	sotaventarse	1	subvenir	96
sompesar	1	sotaventearse	1	subvertir	56
sonajear	1	soterrar	49	subvirar	1
sonar	36	sovietizar	11	subyacer	63
sondar	1	sprintar	1	subyugar	7
sondear	1	standarizar	11	succionar	1

suceder	2	sustanciar	1	tangalear	1
sucintarse	1	sustantivar	1	tangar	7
sucumbir	3	sustentar	1	tanguear	1
sudar	1	sustituir	70	tantear	1
sufocar	4	sustraer	72	tañar	1
sufragar	7	susurrar	1	**tañer**	**84**
sufrir	3	sutilizar	11	tapar	1
sugerir	56	suturar	1	tapear	1
sugestionar	1			taperujarse	1
suicidarse	1			tapialar	1
sujetar	1	**T**		tapiar	1
sulfatar	1			tapirujarse	1
sulfurar	1	tabalear	1	tapizar	11
sumariar	1	tabellar	1	taponar	1
sumar	1	tabicar	4	tapujarse	1
sumergir	16	tablar	1	taquear	1
suministrar	1	tablear	1	taquigrafiar	18
sumir	3	tabletear	1	taracear	1
supeditar	1	tabular	1	tararear	1
superabundar	1	tacañear	1	tarar	1
superar	1	tacar	4	tarascar	4
superentender	53	tachar	1	tarazar	11
superponer	66	tachonar	1	tardar	1
supervalorar	1	tachonear	1	tardear	1
supervenir	96	taconear	1	tardecer	61
supervisar	1	tafiletear	1	tarifar	1
supervivir	3	tagarotear	1	tarjar	1
suplantar	1	taimarse	1	tarjetearse	1
suplicar	4	tajar	1	tartajear	1
suplir	3	taladrar	1	tartalear	1
suponer	66	talar	1	tartamudear	1
suportar	1	talionar	1	tartarizar	11
suprimir	3	tallar	1	tasar	1
supurar	1	tallecer	61	tascar	4
surcar	4	talonear	1	tasquear	1
surdir	3	tamarear	1	tatarear	1
surgir	16	tambalear	1	tatemar	1
surtir	3	tamborear	1	tatuar	19
suscitar	1	tamborilear	1	tazar	11
suscribir	28	tamboritear	1	teatralizar	11
suspender	2	tamizar	11	techar	1
suspirar	1	tandear	1	teclear	1

tecnificar	4	testimoniar	1	tontear	1
tejar	1	tetanizar	11	topar	1
tejer	2	tetar	1	topetar	1
teledirigir	16	texturizar	11	topetear	1
telefonear	1	tijeretear	1	toquetear	1
telegrafiar	18	tildar	1	**torcer**	**45**
telematizar	11	tillar	1	torear	1
televisar	1	timar	1	tornar	1
temblar	49	timbrar	1	tornasolar	1
temblequear	1	timonear	1	tornear	1
tembliquear	1	timpanizarse	11	torpedear	1
temer	**2**	tincar	4	torrar	1
tempanar	1	tindalizar	11	torrear	1
temperar	1	tintar	1	torrefactar	1
tempestear	1	tintinar	1	torturar	1
templar	1	tintinear	1	toser	2
temporizar	11	tipear	1	tosigar	7
tempranear	1	tipificar	4	tostar	36
tenacear	1	tiramollar	1	totalizar	11
tender	**53**	tiranizar	11	toxicar	4
tener	**95**	tirar	1	trabajar	1
tensar	1	tiritar	1	trabar	1
tentar	49	tironear	1	trabucar	4
teñir	35	tirotear	1	tractorar	1
teologizar	11	titear	1	tractorear	1
teorizar	11	titilar	1	traducir	86
tequiar	1	titiritar	1	**traer**	**72**
terciarizar	11	titubar	1	trafagar	7
terciar	1	titubear	1	traficar	4
terebequear	1	titularizar	11	trafulcar	4
tergiversar	1	titular	1	tragar	7
terminar	1	tiznar	1	tragonear	1
termocauterizar	11	tizonear	1	traicionar	1
terquear	1	toar	1	traillar	20
terraplenar	1	tocar	4	trajear	1
terrear	1	toldar	1	trajinar	1
tersar	1	tolerar	1	tramar	1
tertuliar	1	tolonguear	1	tramitar	1
tesar	1	tomar	1	tramontar	1
testar	1	tonar	1	trampear	1
testear	1	tonificar	4	trancar	4
testificar	4	tonsurar	1	tranquear	1

tranquilar	1	traquear	1	traspalar	1
tranquilizar	11	traquetear	1	traspapelar	1
transar	1	trasbocar	4	trasparecer	61
transbordar	1	trasbordar	1	trasparentar	1
transcender	53	trascartarse	1	traspasar	1
transcribir	28	trascender	53	traspeinar	1
transcurrir	3	trascolar	36	traspellar	1
transferir	56	trasconejarse	1	traspillar	1
transfigurar	1	trascordarse	36	traspintar	1
transflorar	1	trascribir	28	traspirar	1
transflorear	1	trascurrir	3	trasplantar	1
transformar	1	trasdoblar	1	trasponer	66
transfundir	3	trasdosar	1	trasportar	1
transgredir	3	trasdosear	1	trasquilar	1
transigir	16	trasegar	51	trasroscarse	4
transitar	1	traseñalar	1	trastabillar	1
translimitar	1	trasferir	56	trastear	1
translinear	1	trasfigurar	1	trastejar	1
transliterar	1	trasflorar	1	trasterminar	1
translucir	62	trasflorear	1	trastesar	1
transmigrar	1	trasformar	1	trastocar	4
transmitir	3	trasfundir	3	trastornar	1
transmontar	1	trasgredir	3	trastrabarse	1
transmudar	1	trashumar	1	trastrabillar	1
transmutar	1	trasladar	1	trastrocar	42
transparentar	1	traslapar	1	trastumbar	1
transpirar	1	traslinear	1	trasudar	1
transponer	66	trasliterar	1	trasuntar	1
transportar	1	traslucir	62	trasvasar	1
transterminar	1	traslumbrar	1	trasvenarse	1
transubstanciar	1	trasmatar	1	trasverberar	1
transustanciar	1	trasmigrar	1	trasverter	53
transvasar	1	trasminar	1	trasver	60
transverberar	1	trasmitir	3	trasvinar	1
tranzar	11	trasmochar	1	trasvolar	36
trapacear	1	trasmontar	1	tratar	1
trapalear	1	trasmudar	1	traumar	1
trapazar	11	trasmutar	1	traumatizar	11
trapear	1	trasnochar	1	travesar	49
trapichar	1	trasnombrar	1	travesear	1
trapichear	1	trasoír	68	travestir	32
trapisondear	1	trasoñar	36	trazar	11

trazumar	1	troncar	4	ulcerar	1
trebejar	1	tronchar	1	ultimar	1
trechear	1	tronerar	1	ultrajar	1
trefilar	1	tronzar	11	ulular	1
tremolar	1	tropear	1	umbralar	1
trempar	1	tropezar	50	uncir	14
trencillar	1	troquelar	1	undular	1
trenzar	11	trotar	1	ungir	16
trepanar	1	trotear	1	unificar	4
trepar	1	trovar	1	uniformar	1
trepidar	1	trozar	11	unimismar	1
tresdoblar	1	trucar	4	unir	3
tresquilar	1	trufar	1	unisonar	36
triangular	1	truhanear	1	universalizar	11
triar	18	trujamanear	1	univocarse	4
tribuir	70	truncar	4	untar	1
tributar	1	tullir	83	upar	1
tricotar	1	tumbar	1	uperizar	11
trifurcarse	4	tumultuar	19	urajear	1
trillar	1	tunantear	1	urbanizar	11
trinar	1	tunar	1	urdir	3
trincar	4	tundear	1	urgir	16
trinchar	1	tundir	3	usar	1
tripartir	3	tunear	1	usucapir	3
triplicar	4	tupir	3	usufructuar	19
triptongar	7	turbar	1	usurar	1
tripudiar	1	turbinar	1	usurear	1
tripular	1	turibular	1	usurpar	1
trisar	1	turificar	4	utilizar	11
triscar	4	turnar	1		
trisecar	4	turrar	1		
triturar	1	tusar	1	**V**	
triunfar	1	tusturrar	1		
trivializar	11	tutear	1	vacar	4
trizar	11	tutelar	1	vaciar	18
trocar	**42**	tutorar	1	vacilar	1
trocear	1			vacunar	1
trociscar	4			vadear	1
trompear	1	**U**		vagabundear	1
trompetear	1			vagar	7
trompicar	4	ubicar	4	vaguear	1
tronar	36	ufanarse	1	vahar	1

vahear	1	ventajear	1	vigilar	1
vajear	1	ventanear	1	vigorar	1
valer	**64**	ventar	49	vigorizar	11
validar	1	ventear	1	vilificar	1
valladear	1	ventilar	1	vilipendiar	1
vallar	1	ventiscar	4	viltrotear	1
valorar	1	ventisquear	1	vincular	1
valorear	1	ventosear	1	vindicar	4
valorizar	11	**ver**	**59**	violar	1
valsar	1	veranar	1	violentar	1
valuar	19	veranear	1	virar	1
vampirizar	11	verbalizar	11	virilizarse	11
vanagloriarse	1	verbenear	1	visar	1
vanear	1	verberar	1	visibilizar	11
vaporar	1	verdear	1	visionar	1
vaporear	1	verdecer	61	visitar	1
vaporizar	11	verdeguear	1	vislumbrar	1
vapular	1	verguear	1	visualizar	11
vapulear	1	verificar	4	vitalizar	11
vaquear	1	verilear	1	vitar	1
varar	1	verraquear	1	vitorear	1
varear	1	verruguetar	1	vitrificar	4
varetear	1	versar	1	vitriolizar	11
variar	18	versear	1	vituallar	1
varraquear	1	versificar	4	vituperar	1
vaticinar	1	vertebrar	1	vivaquear	1
vedar	1	verter	53	vivar	1
vegetar	1	vestir	32	vivificar	4
vehicular	1	vetar	1	vivir	3
vejar	1	vetear	1	vocalizar	11
velarizar	11	vezar	11	vocear	1
velar	1	viabilizar	11	vociferar	1
velejar	1	viajar	1	volar	36
velicar	4	viaticar	4	volatilizar	11
venadear	1	viborear	1	volatizar	11
vencer	13	vibrar	1	volcar	42
vendar	1	vichar	1	volear	1
vender	2	vichear	1	volitar	1
vendimiar	1	viciar	1	volquearse	1
venerar	1	victorear	1	voltear	1
vengar	7	vidriar	1	voltejear	1
venir	**96**	vigiar	18	**volver**	**46**

vomitar	1
vosear	1
votar	1
voznar	1
voznear	1
vulcanizar	11
vulnerar	1

X

xerocopiar	1
xerografiar	18

Y

yacer	**63**
yantar	1
yapar	1
yermar	1
yodar	1
yodurar	1
yugular	1
yuxtaponer	66

Z

zabordar	1
zabullir	83

zacear	1
zafar	1
zaherir	56
zahondar	1
zalear	1
zallar	1
zamarrear	1
zamarronear	1
zambucar	4
zambullir	83
zambutir	3
zaminar	1
zampar	1
zampear	1
zancadillear	1
zancajear	1
zanganear	1
zangarrear	1
zangolotear	1
zangotear	1
zanjar	1
zanquear	1
zaparrastrar	1
zapar	1
zapatear	1
zapear	1
zaquear	1
zarabutear	1
zaracear	1

zaragatear	1
zaragutear	1
zarandar	1
zarandear	1
zarcear	1
zarpar	1
zascandilear	1
zigzaguear	1
zocatearse	1
zollipar	1
zorrear	1
zorzalear	1
zozobrar	1
zulacar	4
zulaquear	1
zullarse	1
zumacar	4
zumbar	1
zunchar	1
zuñir	3
zurcir	**14**
zurdear	1
zurear	1
zurrarse	1
zurrar	1
zurriagar	7
zurriar	18
zurrir	3
zurruscarse	4